P9-CRT-260

EL TRAGALUZ

TEATRO

ANTONIO BUERO VALLEJO

EL TRAGALUZ

EDICIÓN
LUIS IGLESIAS FEIJOO

GUÍA DE LECTURA
ANA MARÍA PLATAS

AUSTRAL  TEATRO

Primera edición: 22-XII-1970
Cuadragésima tercera edición (sexta en esta presentación): 9-III-2009

Diseño de cubierta: Joaquín Gallego
Preimpresión: MT Color & Diseño, S. L.

Depósito legal: M. 11.839—2009

ISBN 978—84—670—2162—2

Espasa, en su deseo de mejorar sus publicaciones, agradecerá cualquier sugerencia que los lectores hagan al departamento editorial por correo electrónico: sugerencias@espasa.es

Impreso en España/Printed in Spain
Impresión: Unigraf, S. L.

Editorial Espasa Calpe, S. A.
Vía de las Dos Castillas, 33. Complejo Ática - Edificio 4
28224 Pozuelo de Alarcón (Madrid)

ÍNDICE

EL TRAGALUZ

INTRODUCCIÓN

A Darío Villanueva,
por el realismo

En octubre de 1997 se han cumplido treinta años del estreno de EL TRAGALUZ. El público la acogió de manera extraordinariamente favorable y la mantuvo en cartel toda la temporada 1967-1968. Este éxito se explica por la calidad intrínseca de la obra, pero a él contribuyó asimismo el hecho de haber sido la primera que desde la escena hablaba sin rodeos de las consecuencias de la guerra civil española de 1936-1939.

Para los espectadores de aquel tiempo, en que resultaba tan difícil proclamar lo más evidente y llamar a las cosas por su nombre, encerraba mucho de revulsivo la historia de la familia refugiada en el semisótano, cuyas vidas habían sido medio destruidas a raíz de la contienda fratricida. No olvidemos que, durante muchos años, el concepto mismo de «guerra civil» estuvo desterrado de casi todas las publicaciones, que lo sustituían por otro nada ambiguo: para la ideología triunfadora, el enfrentamiento fue una «Cruzada» religiosa contra el ateísmo.

Entonces, cuando el sistema redoblaba los esfuerzos para mantener incólume una configuración política que la dinámica de la realidad social estaba socavando de manera imparable, presentar un panorama como el exhibido en EL TRAGALUZ era una empresa arriesgada. Desde luego, podemos estar seguros de que en aquellos momentos, un escalofrío recorría el patio de butacas cuando en el transcurso de la representación un personaje exclamaba, desde la desolación de su recuerdo: «¡Malditos sean los hombres que arman las guerras!».

Hoy, a más de tres décadas de distancia, este drama se ha convertido en un clásico del moderno teatro español. Objeto de análisis para muchos investigadores de la escena contemporánea [1], publicado en ediciones anotadas, leído por miles de alumnos españoles de Bachillerato como parte de su programa de estudios, EL TRAGALUZ ha ganado nuevas perspectivas, mientras algunos de los aspectos más relevantes cuando su estreno han perdido lógicamente su carácter polémico. Pero ello no es nada excepcional, aunque sólo las obras de especial densidad significativa, como la presente, se enriquecen con los años.

Todas las producciones humanas cambian, en efecto, con el tiempo, al modificarse la sociedad y el hombre que la constituye. Las obras literarias no escapan a esa ley, y *dicen* nuevas cosas aunque no varíen ni una letra. Si esto es evidente cuando nos enfrentamos a las escritas en siglos pretéritos *(Fuente Ovejuna, La vida es sueño),* no es menos cierto con las más recientes, aunque entonces la escala se reduzca.

---

[1] Para lo que toca al teatro de Buero en conjunto, puede verse mi monografía *La trayectoria dramática de Antonio Buero Vallejo,* en cuyo capítulo XVII desarrollé un análisis de *El tragaluz,* que se actualiza y completa ahora (todos los trabajos citados en la presente introducción hallan su referencia en la bibliografía final).

En consecuencia, para entender, por caso, los dramas del Siglo de Oro y averiguar su sentido original, el historiador literario aclara los textos y desentraña las circunstancias del pasado en que se gestaron y que pueden ser desconocidas desde el presente, lo cual no impide que sigan hablando a los hombres actuales; pero lo hacen desde su época y los significados con que se han ido adornando parten de aquel sentido literal. La tarea es la misma cuando estamos ante obras contemporáneas, si bien la diferencia cronológica y cultural sea evidentemente menor.

Volviendo a lo que ahora nos importa, EL TRAGALUZ fue escrito en plena España de Franco y no deben olvidarse los difíciles avatares de su nacimiento, en dura pugna con la censura existente y los intereses por ella defendidos. No obstante, comprender qué significó el drama en 1967 no supone verlo como algo de mero interés histórico. Por el contrario, sin perder nada de su valor como documento de un tiempo y un país, su sentido permanece vivo hoy. Y aun es posible que sea más fácil percibirlo con toda su profundidad desde una época como la actual, menos asediada por intereses extrateatrales.

En estos años España ha modificado de raíz el modo de configurar políticamente la convivencia social, con el paso de un régimen autoritario a la democracia. Los orígenes del presente no están ya en la guerra civil y, por tanto, es obvio que todo lo referido a su influjo sobre la familia de Mario y Vicente sigue teniendo un interés dramático y patético, pero ha dejado de ser un problema vivido y con-vivido por el público. La España de 1967 se nos revela como algo por fortuna cada vez más remoto, del mismo modo que, para las promociones jóvenes, la contienda de 1936 no parece mucho más cercana que la guerra de la Independencia.

Observaremos, pues, inicialmente qué decía EL TRAGALUZ en 1967, para contemplar luego qué nos sigue diciendo hoy o qué es lo que ha mantenido más fresca su vigencia, aunque este ejercicio sea un tanto convencional y acaso sólo sirva para realizar una exposición más ordenada, lo que no sería pequeña ganancia.

Un viaje por el tiempo como el propuesto parece tanto más apropiado para una obra que basa su estructura en un juego cronológico, pues los hechos que presenta se suponen recuperados por máquinas y ordenadores que manejan hombres de un remoto siglo futuro, no precisado, pero que designaremos como el siglo XXX.

Este planteamiento, próximo a la ciencia-ficción, parte de la idea de que entonces será posible recobrar el pasado, pues las imágenes de lo que existió perduran por siempre en el espacio[2]. Desde ese futuro hecho presente dentro de la ficción se proyectan las sombras de unos sucesos 'ocurridos' en Madrid hacia 1967. Entonces habían transcurrido casi treinta años desde el fin de la guerra; ahora, otros treinta después del estreno, cuando 1967 ha pasado a ser pretérito, nos hemos convertido sin quererlo en imaginarios colegas de los hombres del siglo XXX, lo que curiosamente

---

[2] Aborda este aspecto Nel Diago, «El teatro de ciencia-ficción en España: de Buero Vallejo a Albert Boadella», en el colectivo editado en 1990 por Cristóbal Cuevas. Por cierto, que carece de sentido su afirmación (pág. 186) de que me 'equivoco' en mi libro por creer que *El padre de Cristina Alberta*, de H. G. Wells (1925), pudo aportar los aspectos «científicos» de la obra. Allí sólo señalé (pág. 356) que el mismo Buero mencionó esa novela, que entonces yo no conocía, como una fuente de inspiración. Hoy, tras haberla leído en la traducción publicada en Madrid, M. Aguilar, sin fecha, pero hacia 1930, cabe añadir que influyó en el motivo de la locura de El padre. En cambio, puede proceder alguna sugerencia relacionada con la ficción científica de *The Time Machine* (1895), del mismo autor, en la que se viaja hasta el futuro, en concreto al año 802701.

incide sobre uno de los supuestos básicos del drama, como tendremos ocasión de ver.

EL TRAGALUZ EN 1967

Tras diez años de trayectoria teatral, abierta en 1949 con *Historia de una escalera,* Buero Vallejo inició con *Un soñador para un pueblo* (1958) una fase marcada, no tanto por el hecho de situar la trama en el pasado histórico, como por la decidida voluntad de plantear problemas abiertamente políticos y sociales[3]. El modo de ejercer el gobierno de un país, en la obra citada; el debate entre el poder coercitivo y la libertad de expresión del artista, en *Las Meninas* (1960); la crueldad en la explotación de los indefensos por el empresario que encarna un sistema económico-social, en *El concierto de San Ovidio* (1962), fueron pasos sucesivos en una dirección nada equívoca.

Y, desde entonces hasta 1967, el silencio: ninguna obra nueva del autor fue representada en España durante esos años, con la excepción del fugaz y fracasado estreno de *Aventura en lo gris* (sólo duró ocho días en 1963), aunque se trataba de un texto de 1949 y ya publicado en 1954, que hablaba de dictadura, guerra y opresión.

Sin embargo, Buero no permanecía en silencio por voluntad propia. En 1964 había terminado otro drama, *La doble historia del doctor Valmy,* cuyo acceso a las tablas no había sido permitido. A ello contribuyó la reticencia de la censura a autorizar una obra en que se exponían crudamente las torturas cometidas por la policía política de un

---

[3] Véase al respecto el prólogo a mi edición de *Un soñador para un pueblo* en esta colección, Espasa Calpe, Madrid, 1989 (reedición en 1992).

país con régimen autoritario; pero además influía la vigilancia que el poder estaba ejerciendo sobre los intelectuales que, en un período de especial efervescencia social —que hoy puede verse como el inicio del fin de la atonía franquista—, habían protestado en 1963 por la represión policíaca ejercida contra unos mineros asturianos en huelga y sus familias.

El público desconocía, pues, el *Valmy* cuando se produjo el estreno de EL TRAGALUZ, que estaba concluida desde el otoño de 1966. Como se observa con claridad, Buero, para romper el silencio involuntario que venía manteniendo desde hacía casi cinco años, no eligió un tema más complaciente o evasivo. Por el contrario, fiel a su propósito de hacer del escenario plataforma crítica de la sociedad contemporánea y enfrentar al espectador con los problemas reales de su entorno, traía a la memoria colectiva el espinoso tema de la guerra civil.

Y la perspectiva elegida para recordarla distaba de ser favorable para la ideología imperante, que no en vano fundamentaba su dominio precisamente en la victoria de 1939. Buero, militante del bando republicano y condenado a muerte al fin de la contienda, creaba la historia de una familia perteneciente a 'los vencidos'. El padre, funcionario en un ministerio, había sido depurado en el furioso vendaval de represalias contra los no adictos que el nuevo Régimen desató desde su acceso al poder.

Las palabras de Vicente en su último parlamento evocan aquel festival de locura homicida en que «la vida humana no valía nada»: «habían muerto cientos de miles de personas... Y muchos niños y niñas también..., de hambre o por las bombas...». Su amargo resumen no podía dejar a nadie impávido, pero el nudo de la obra no se ceñía a los tres años de lucha. Tras ella, se había sucedido la larga cuaresma de la posguerra, en la que aquellos 'vencidos' no hallaron otro acomodo que el precario refugio del sótano donde todavía los vemos.

De este modo, el tragaluz por el que atisban la calle y que no por azar da título al drama pasa a ser uno de sus símbolos mayores, de carácter polivalente, sin duda, pero que en su faceta socio-política remite de continuo a la marginación sufrida por los perdedores, recluidos en tales submundos. A lo largo de ese tiempo oscuro y áspero, esos «años difíciles» en que, como dice Mario, les tocó crecer y hacerse hombres, Vicente ha aprendido modos de comportamiento que ahora, ya adulto, despliega con brutal eficacia.

Él es alguien adaptado al sistema y bien instalado en él. Sabe lo que quiere y no le importan los modos de conseguirlo, aunque para ello tenga que atropellar o explotar a sus semejantes, pues ha visto desde niño cómo se ejerce el desprecio hacia el ser humano. En suma, Vicente ha 'subido al tren', como se expresa por medio de otro de los símbolos de la obra. Él mismo lo reconoce en la anagnórisis final: «Y ahora habré de volver a ese tren que nunca para...».

La visión de tan crudo panorama no podía complacer a todos y, desde luego, molestó sobremanera a los partidarios del Régimen vigente, alguno de cuyos corifeos saltó a la palestra para dedicar al autor un ataque personal. Además, como desasosegante confirmación de que las tesis denunciadas por el drama seguían muy vivas, proclamaba que ante el progreso económico de España (el famoso «desarrollo» mencionado por Mario) había «que coger el tren (...) Y echar por las ventanillas del tren a los canallas que se pudiera» [4].

---

[4] Las palabras son del entonces director del periódico de los sindicatos oficiales, Emilio Romero; véase su artículo «Un sótano y el tren», *Pueblo,* 8.744, 10 de octubre de 1967, pág. 2.

Este aspecto de compromiso político —en el sentido exacto del término—, tan vivo en 1967, corre el riesgo de pasar hoy inadvertido y por ello ha sido preciso rememorarlo. El propósito de intervención en el debate cívico de la España franquista, entablado entre el poder y una oposición que deseaba libertad y democracia, no agota el sentido de la obra. Pero, de ignorarlo, perderíamos parte de lo que significa.

Tras las parábolas históricas que recreaban el pasado español y después de haber expuesto con *El concierto de San Ovidio* la violencia de una sociedad basada en la explotación del hombre por el hombre, Buero intensificaba el tono crítico con un planteamiento de mayor claridad. Ahora ya no cabían dudas ni excusas: se estaba hablando de España y del tiempo presente. Y, como el clásico, podría susurrarle al espectador: *de te fabula narratur* (Horacio, S, I, 1, 69-70).

Frente a quienes defendían que era preciso olvidar la guerra para construir el futuro, se plantea como tesis la necesidad de asumir el pasado, por duro que resulte. Queda así entablada una dialéctica olvido/recuerdo, que en cualquier caso sugiere que no se puede echar tierra sin más sobre lo ocurrido.

En el universo de la familia, tanto Encarna («Hay que olvidar, Mario») como La madre («Hay que olvidar aquello») se inclinan hacia uno de los polos, movidas acaso por un instinto femenino que prefiere la piedad a la justicia. Por eso también La madre rechaza el papel de juez («No quiero juzgarlo...», dirá de su hijo Vicente), que en cambio Mario asume decididamente («yo, desde aquí, te estaré juzgando»; «Pareces un juez»).

Ahora bien, el olvido puede llevar consigo la mentira, como el caso de Vicente ejemplifica, y en el teatro de Buero esta nunca prevalece sobre la verdad. Bien lo aclaran desde su altura temporal los comentarios de los investigadores: «siempre es mejor saber, aunque sea doloroso». La historia transcurrida hasta su siglo XXX les ofrece una lección, que también debía aplicarse al caso español: «Durante siglos tuvimos que olvidar, para que el pasado no nos paralizase; ahora debemos recordar incesantemente, para que el pasado no nos envenene».

Se alude así al riesgo que para la convivencia se avizoraba en 1967. Fundamentarla sobre la ficción de que la guerra estaba superada era imposible; basarlo todo en una hipotética vuelta atrás que anulase sus efectos parecía ilusorio. EL TRAGALUZ ofrecía una plataforma para reflexionar colectivamente sobre ello y apuntaba como síntesis un intento de conciliación que, asumiendo el pasado con todo su significado, encarase el porvenir con lucidez. El hijo de Encarna que Mario está dispuesto a hacer suyo simboliza en el desenlace tal propuesta.

Otro aspecto que en la época del estreno encerraba sutiles discrepancias frente al sistema establecido lo ofrece la concepción fuertemente historicista que sustenta el drama, subrayada por el tratamiento temporal elegido. La trama, al determinar que el presente del espectador quedara reducido a cenizas, desplegaba una aguda conciencia de transitoriedad y sugería lo pasajero de todas las formas políticas, en aguda disonancia con el patrioterismo oficial.

El Régimen, en efecto, alimentaba el deseo imposible de alcanzar una absoluta inmutabilidad, que no quería ver discutida. Por ello, el inmovilismo parecía haberse convertido en ideal de gobierno, impuesto con maneras sumamente dogmáticas. Frente a tal actitud, resultaba un benéfico ejercicio de relatividad oír cómo los investigadores, que recuperan la historia desde el fondo de los siglos, declaran que esta «sucedió en Madrid, capital que fue de una antigua nación llamada España».

Todo pasará, proclama la escena, en el mismo sentido que *Un soñador* había exclamado: «Las naciones tienen que cambiar si no quieren morir definitivamente», o que en *Las Meninas* se decía: «Señor, dudo que haya nada inconmovible. Para morir nace todo: hombres, instituciones... Y el tiempo todo se lo lleva... También se llevará esta edad de dolor» [5]. Si esos dramas históricos eran parábolas que hablaban del pasado para iluminar el presente, EL TRAGALUZ puede ser calificada en cierto modo de obra histórica 'al revés' o *a posteriori:* el presente se ilumina en ella desde el futuro ficticio, pues es una obra histórica... del siglo XXX.

También aquí todos los protagonistas (Mario, Vicente...) están muertos al comenzar la acción, como lo están Esquilache o Velázquez, según sabe el público [6]; pero con ello tocamos un elemento que afecta a la estructura. No cabe, por tanto, tratarlo dentro de este apartado, cuyo propósito se ceñía al examen de lo que era más representativo en 1967.

Lo que hemos visto hasta ahora no ha perdido su interés, pues lo único que varía es su incidencia vital sobre los es-

---

[5] La cita de la primera obra, en la página 108 de la edición mencionada en la nota 3; para la otra, véase *Las Meninas,* Alfil, Madrid, 1961, págs. 123-124.

[6] Ya utilicé la fórmula 'obra histórica al revés' en mi monografía de 1982. No parece haberla entendido Manuel V. Diago, según se deduce de sus palabras recogidas en la página 59 del coloquio editado por Cristóbal Cuevas. Con ella simplemente quería señalar que, al igual que las obras históricas de Buero se desarrollan en un tiempo pasado y obligan al público a con-vivir en él (el presente de la escena es pretérito), *El tragaluz* hace lo mismo, pero al revés: el presente de los investigadores es futuro. Pero tanto una como las otras hablan de la actualidad, sin duda, aunque es obvio que la nuestra también la presenta en la historia rescatada por los ordenadores. En la conciencia del espectador se produce un constante juego temporal al comparar lo que ve con lo que sabe por su experiencia vital; y todas estas obras instauran la misma pungente vivencia del paso del tiempo.

pectadores actuales o futuros, pero a partir de aquí toca considerar aquello que sigue vigente, y que ya estaba asimismo en EL TRAGALUZ hace tres décadas. Tales aspectos, menos atendidos entonces, muestran que, aun siendo un autor que gusta de arraigarse fuertemente en los problemas de su época, Buero Vallejo no escribía tan sólo para su tiempo. Él no es el dramaturgo de la España franquista, aunque haya creado en ella parte de su obra. De ahí que los dramas mantengan su frescura original y, como en el caso del presente, los tengamos por obras clásicas.

EL TRAGALUZ EN LA ACTUALIDAD

Como acabamos de ver, el estreno de EL TRAGALUZ pudo centrar la atención sobre el compromiso cívico que comportaba, pero Buero supo siempre, desde su primera obra, que ante todo era un autor dramático. Ello significaba que, por muy grande que fuera su preocupación ética, política o social, nada de valor haría con ellas si no partía del supuesto de que estaba escribiendo teatro.

Hoy, en momentos en que parece menos urgente la concepción de éste como instrumento de intervención en la vida colectiva, público y crítica se muestran más dispuestos a atender otras consideraciones, como la habilidad constructiva o la innovación estructural. Sin embargo, para el autor los planos ético y estético nunca fueron opuestos ni estuvieron disociados. De ahí que, a lo largo de toda su trayectoria, escribir obras comprometidas y a la vez formalmente arriesgadas e innovadoras implicara un único objetivo.

Por lo que se refiere a EL TRAGALUZ, vamos a observar cómo su estructura supone una apuesta arriesgada y constituye asimismo la más clara refutación de quienes sugirieron entonces o después que la voluntad experimentadora del autor resultaba un gratuito juego formalista.

La perspectiva temporal

EL TRAGALUZ es un «experimento», tal como reza su subtítulo; pero este tiene más de un sentido. Se trata de un «experimento» teatral que encierra otro: el de los hombres del futuro. «Bien venidos. Gracias por haber querido presenciar nuestro experimento», es lo primero que dicen al comenzar la obra. Así, situados en el terreno de la ficción, nos obligan a compartir con ellos un hecho básico.

El presente de la obra es ese indeterminado siglo XXX, desde el que aquellos seres nos interpelan como si fuéramos contemporáneos suyos, con lo que resultamos ficcionalizados, al vernos convertidos, lo queramos o no, en individuos del futuro que asisten a unas sesiones dispuestas por un enigmático Consejo, en que acaso no sea arriesgado ver la encarnación de un poder universal único.

¿Qué investigan Él y Ella? Historias de un pasado lejano que, en el caso de la sesión que *ahora* les ocupa, se remonta a 1967. Por un juego temporal nada gratuito —el primero de los varios 'juegos' que hay en la obra—, el presente real del público se convierte en algo muy remoto y los hombres que en él se mueven han desaparecido hace ya mucho, son sólo «unos pocos árboles, ya muertos, en un bosque inmenso».

Dentro del drama, lo único «real» es el siglo XXX y Mario, Vicente o El padre son sólo sombras, fugazmente recobradas para caer de nuevo en el olvido. Ahora bien, por grande que sea la empatía teatral, el público nunca se ve arrastrado por la acción hasta el punto de perder del todo su conciencia. Y es precisamente la fisura que en ella existe entre la vivencia de lo que ve en escena como algo real y la certeza de que todo es ficción el lugar en que EL TRAGALUZ instala, dentro de la mente de cada espectador, la temerosa posibilidad de ser también pasado, de estar asistiendo a la propia posteridad.

Así, la introducción de esa lejanía temporal confiere perspectiva para poder ver lo contemporáneo a gran distancia, pero, de otro lado, en cuanto que como espectadores somos seres reales de la segunda mitad del siglo XX, es decir, iguales a Mario y su familia, nos convierte también en sombras perdidas en el espacio que todo lo preserva. El público presiente oscuramente que todos estamos muertos y ese anonadamiento, unido al vértigo temporal, introduce la dimensión de «sobrecogimiento histórico» a que el propio Buero aludía con referencia a su obra[7].

Hacia el final del drama, los propios investigadores apelan a esa sensación de incertidumbre producida por los imaginarios saltos temporales: «Si no os habéis sentido en algún instante verdaderos seres del siglo veinte, pero observados y juzgados por una especie de conciencia futura; si no os habéis sentido en algún otro momento como seres de un futuro hecho ya presente que juzgan, con rigor y piedad, a gentes muy antiguas y acaso iguales a vosotros, el experimento ha fracasado».

Desde luego, estas palabras se dirigen a los espectadores ficticios del siglo XXX; pero tienen otra lectura muy clara: si el público real, en nuestro tiempo, no ha captado la idea de corresponsabilidad humana y no se ha visto a la vez como juez y como reo, el experimento que es EL TRAGALUZ

[7] Véase Ángel Fernández-Santos, «Una entrevista con Buero Vallejo sobre *El tragaluz*», *Primer Acto,* 90, noviembre de 1967, pág. 10.

habrá fracasado, porque el drama propone en última instancia que todos los hombres somos uno y el mismo, y ése es el sentido de «la pregunta» que ya formula El padre, como luego veremos en detalle. La dimensión temporal dada a la trama consigue, pues, que cada espectador sea igual a Mario o a Vicente —algo nada difícil de lograr con la conocida identificación teatral—, pero al mismo tiempo se vea como un hombre del futuro.

De esta forma, se comprueba que la pareja de investigadores no es, como alguien sugirió cuando el estreno, un 'pegote brechtiano' [8]. Buero Vallejo poseía una concepción muy completa y madurada de lo que quería hacer con su teatro y no iba a incorporar elementos allegadizos sólo al calor de la moda pasajera que para muchos fue la práctica del autor alemán en los años sesenta. Por el contrario, su teoría dramática venía buscando modos efectivos de lograr una síntesis entre identificación emotiva y distanciamiento, que en todo caso permitiera el desarrollo de la conciencia crítica del público, y en esto último sí coincidía en profundidad con Bertolt Brecht.

La introducción de la perspectiva ofrecida por los investigadores producía, de un lado, los efectos psicológicos sobre el público ya comentados. Pero, además, se conseguían otros no menos interesantes. Así, se obtenía la posibilidad de encauzar la atención en una dirección determinada, distanciar al espectador de los sucesos y hacerle reflexionar,

---

[8] Ahora, treinta años después, se comprueba la razón que asistía al autor, cuando declaraba, ante la incomprensión de algunos críticos: «casi son para mí más importantes los investigadores que los demás elementos (...) Quiero decir que, a efectos de lo que en realidad es *El tragaluz*, los investigadores son insustituibles y la historia investigada no lo es, ya que pueden encontrarse otras historias de significado semejante al de esta». Véase la página 10 de la entrevista ya citada en la nota 7.

pues los seres del futuro están capacitados para detener la marcha de la acción y glosar lo que tuviesen por más relevante[9].

Esto es posible porque son ellos quienes han «preparado» la exposición de los hechos que se nos presentan; acaso, por lo que toca a la estructura, contribuyó a producir cierta perplejidad en 1967 el desconocimiento que existía entonces de la obra anterior (el *Valmy),* pues en ella ya había experimentado el autor con esta disposición que convierte el drama en el desarrollo de un relato a cargo de un narrador/presentador.

También aquí, en EL TRAGALUZ, nos enfrentamos con una «historia» que nos es contada o, para mayor exactitud, relatada en acción, palabra y movimiento. Él y Ella se refieren (y son citas sólo de su primera intervención) a «la historia que hemos logrado rescatar del pasado»; «las historias de las más diversas épocas»; «la presente historia»; «La historia sucedió en Madrid»; «Es la historia de unos pocos árboles».

Si la trayectoria teatral de Buero comenzó con *Historia de una escalera* y terminaba de momento con la inédita *La doble historia del doctor Valmy,* ahora nos hallamos ante la 'Historia de un tragaluz', pero que, en lugar de ser ofrecida de manera directa, nos llega a través de estos mediadores que actúan como un filtro. Ellos la contemplan desde fuera y por tanto pueden definirla de principio a fin. «La historia es, como tantas otras, oscura y singular», proclama Ella an-

---

[9] Distanciar al espectador no es sinónimo de emplear el «distanciamiento» brechtiano (el «efecto V»). Lo que se busca es conseguir esa síntesis aludida, de la que se volverá a hablar al final de esta Introducción. Adviértase que los elementos «distanciadores», críticos o tendentes a provocar la reflexión en el público existen en el teatro desde sus orígenes.

tes de iniciarse; «esta oscura historia se desenlaza en el aposento del tragaluz», dirá Él cuando está próxima a concluir [10].

Lo que aparece sobre la escena no es, por tanto, la realidad vivida, ni una imagen de la misma directamente contemplada. Hoy, al final del siglo XX, nos hallamos en el extremo de una crisis de la literatura tradicional, que ya no permite ofrecer impunemente los relatos como hacía, por ejemplo, el siglo XIX; en nuestros días, todo narrador parece sospechoso, y en la mente del lector afloran las preguntas acerca de cómo conoce aquello que cuenta, lo que ha llevado a un mucho mayor refinamiento del arte narrativo. En el teatro también ha ocurrido algo similar y a menudo dejamos de ver en escena la «vida real», sustituida por algo que se presenta como el resultado de una manipulación. De esta manera, pasamos al terreno del metateatro, línea en la que se encuentra nuestra obra.

Además, de manera muy significativa, esto ocurre en dos niveles. En el primero, que es el que toca considerar ahora, afecta a ese marco del discurso ficticio que constituyen los seres del futuro, marco que encierra dentro de sí la historia de la familia del tragaluz; pero, como veremos luego, dentro de esta última se repiten asimismo las referencias metaliterarias, lo que demuestra que este aspecto ha sido cuidadosamente planeado en la construcción de la obra.

Ciñéndonos, pues, de momento a lo que atañe a los investigadores, debe observarse que ellos hacen suyo el papel propio de cualquier autor literario —no olvidemos, al res-

---

[10] Los investigadores hablan también de «la historia que se busca», «El resto de la historia», «la historia de esas catacumbas», «las historias de todos los demás», «la historia de aquella mujer que, sin decir palabra, ha cruzado algunas veces ante vosotros». Se trata de una reiteración que, obviamente, no resulta casual.

pecto, que estos se dedican precisamente a contar 'historias'—. Los seres del futuro han elegido la suya, que califican de «nuestro experimento»; han establecido todos los diálogos y ruidos; han injerido el sonido del tren. De manera aún más trascendente, son también los responsables del montaje, esto es, la selección de acontecimientos mostrados; los cambios de lugar, con el paso de la oficina al café o al sótano; los saltos temporales, que anuncian con precisión («La escena que vais a presenciar sucedió siete días después»); la supresión —elipsis narrativa— de lo que creen que no interesa (véanse sus palabras al inicio de la segunda parte, como resumen de lo que eliminan: «Minutos vacíos»).

En una novela el autor puede optar por un tipo de narrador que, aun sin inmiscuirse a cada paso en los hechos como hacía el omnisciente tradicional, emita opiniones más o menos subrepticias que encaucen el relato para conseguir determinados efectos. De la misma forma, tampoco EL TRAGALUZ ofrece sólo la 'historia', sino que las interrupciones de Él y Ella vienen a acompañarla con comentarios, opiniones y observaciones que se adelantan, suplantan o encauzan los nuestros y la iluminan o la condicionan; pero, en cualquier caso, crean así una imagen de ella, que nos permite verla reflejada como en un espejo, con la peculiaridad de que ya será imposible para siempre distinguir la 'historia original' de esa otra imagen, porque ambas son una misma cosa. EL TRAGALUZ resulta así un relato teatral especular, marcado por la *mise en abyme.*

Queda claro, de todo ello, que Él y Ella actúan exactamente igual que lo haría un creador literario, un novelista... o un dramaturgo. Son, en ese sentido, sustitutos del autor, cuya función asumen y despliegan ante el público. En consecuencia, la 'historia de la familia del tragaluz' es el resultado de un montaje, un delicado artefacto, y la obra, considerada como un todo, viene a ofrecernos en síntesis el proceso de creación de una obra teatral, o la exhibición de su desarrollo.

Ello permite incluso algunos guiños dirigidos al público, que no puede dejar de percibirlos. Aparte de que los investigadores se refieran varias veces a «escenas», su segunda intervención acumula las referencias metateatrales. Se recuerda así que los recursos empleados consiguen algo muy difícil para el teatro tradicional, la capacidad de transmitir lo que atraviesa por la mente de los personajes sin concretarlo en palabras. El camino hacia el teatro total, que sume palabra, acción y subconsciente, es aludido de forma inequívoca: «Estáis presenciando una experiencia de realidad total: sucesos y pensamientos en mezcla inseparable».

Al mismo tiempo, el carácter de ficción que toda creación literaria conlleva, a menudo disimulado en las obras realistas convencionales, es aquí potenciado, en cuanto que se insiste sobre la inexistencia real y virtual de los personajes de la escena, definidos como «fantasmas» («Cuando estos fantasmas vivieron»..., se dice en la primera intervención de los investigadores. «El fantasma de la persona a quien esperaba»..., comienza la segunda). Pero el teatro, a diferencia del cine, sabemos que implica la presencia *real* del actor. De ahí que, jugando con la convención, se subraye en un momento: «Mirad a ese fantasma. ¡Cuán vivo nos parece! (...) ¿No parece realmente viva?».

Nacido en un tiempo de crisis del realismo —y de un modo de entender la misma realidad—, EL TRAGALUZ se presenta, pues, como un drama de construcción compleja, pórtico de los experimentos aún más audaces que Buero Vallejo iba a emprender a partir de *El sueño de la razón*. Obra reflexiva y metateatral, experimento dentro de un experimento, teatro dentro del teatro, encierra aún una alusión a la faena creativa.

Los investigadores, en el futuro en que viven, desarrollan historias con sus calculadores electrónicos que recuperan imágenes perdidas; pero ellos mismos equiparan implícitamente esos instrumentos a la pluma —por no decir ya el ordenador personal— con que el escritor compone un relato: «La acción más oculta o insignificante puede ser descubierta un día (...) Cada suceso puede ser percibido desde algún lugar (...) Y a veces, sin aparatos, desde alguna mente lúcida». La «invención» (hallazgo) de la realidad iguala, pues, a esos experimentadores con el creador que, armado de su poder intuitivo, nos propone un mundo ficticio. Y aquí aparece de nuevo una correspondencia exacta con las alusiones metaliterarias que se dan en el interior de la historia del tragaluz y atañen precisamente a este, como veremos.

De todo lo anterior se deduce que la pareja de investigadores es un elemento fundamental. Vicarios del autor, posibilitan una estructura no convencional y confieren al conjunto una dimensión y profundidad que aún no ha sido agotada. A través de ellos se trasciende el simple realismo y se otorga a los hechos el carácter de relato cuyo montaje queda evidenciado. Nada más lógico, por tanto, que para aclarar ahora la estructura de la obra, sean ellos los instrumentos idóneos para señalar las unidades diferenciadoras.

Estructura y acción

Una vez establecida la perspectiva general, es momento de observar cómo la historia que se cuenta en la obra, es decir, la que presentan los seres del futuro, está construida de acuerdo con un propósito muy claro de equilibrio y simetría. Los investigadores intervienen cuatro veces para dirigirse al público tanto en el primero como en el segundo de los actos o partes en que se divide el drama, creando en cada uno tres cuadros o bloques de escenas [11]. En el primer acto esos tres bloques se distribuyen así:

PRIMER CUADRO: Comienza cuando los investigadores terminan su intervención inicial e incluye dos lugares de acción, en cada uno de los cuales se desarrolla una escena: la oficina donde trabajan Vicente y su secretaria Encarna, y el sótano donde viven El padre, La madre y Mario. La acción no se cierra en un espacio para pasar luego al otro —que son simultáneos sobre el escenario—, sino que hay un primer diálogo en el sótano antes de que termine la escena de la oficina. Aparte existen dos breves acciones sin palabras en un café. Se produce un fluir temporal continuo y se precisa que es un jueves, día escogido por Vicente para ver a sus padres; con su visita concluye la escena final de este bloque.

SEGUNDO CUADRO: Tras la segunda intervención de los investigadores, que aprovechan «para comentar lo que habéis visto», según ellos mismos indican, se desarrolla en el café un diálogo entre Mario y Encarna, en un momento casi inmediatamente posterior al final de la escena precedente. Es un cuadro mucho más breve que el inicial.

TERCER CUADRO: Las palabras de los investigadores precisan que la acción ocurre una semana más tarde («La escena que vais a presenciar sucedió siete días después»). Al igual que en el primer bloque, nos encontramos con más de

---

[11] Otros intentos de analizar la estructura de la obra, más minuciosos y detallistas, se hallan en distintos trabajos de García Barrientos, Antonio José Domínguez y Fabián Gutiérrez.

un lugar de acción. Ésta se inicia con una visita de Mario a la oficina de su hermano, pasa al sótano, donde se produce una nueva aparición de Vicente y un primer debate extenso con Mario, sigue una breve viñeta en el café y concluye en el sótano con El padre solitario frente al tragaluz. Cierran el primer acto los investigadores con dos palabras de despedida.

La segunda parte comienza con una intervención expositiva de estos últimos, en la que aclaran que los hechos que van a presentar ocurrieron otra semana más tarde («Sus primeras escenas son posteriores en ocho días»). Dada la necesaria intensificación dramática de los sucesos, ahora se tiende a concentrar la tensión, con bloques o cuadros que suelen encerrar una única escena muy larga.

PRIMER CUADRO: Presenta otra visita de Vicente a casa de sus padres, con un tenso diálogo con El padre alucinado y un segundo debate con Mario. Hay también acción muda en la oficina y en el café. Finalmente, la llegada de Encarna al sótano reúne por primera vez a todos los personajes.

SEGUNDO CUADRO: La intervención de los investigadores precisa que ha transcurrido un día más y que los hechos se precipitan («Veintiséis horas después de la escena que habéis presenciado, esta oscura historia se desenlaza en el aposento del tragaluz»). Consta de una única escena, que reúne de nuevo a todos los protagonistas.

TERCER CUADRO: Los investigadores han cerrado casi del todo su experimento [12]. Falta únicamente una especie de

---

[12] La referencia explícita que los investigadores hacen a su propio «experimento» forma pareja simétrica con la realizada justo al iniciar la obra («Gracias por haber querido presenciar nuestro experimento»). Ambas refuerzan el carácter de marco de la historia que tienen sus intervenciones, subrayan su carácter metateatral y sugieren la figura de un círculo a punto de cerrarse.

epílogo: «Esperad, sin embargo, a que termine. Sólo resta una escena. Sucedió once días después». Este breve colofón que ocupa todo el cuadro es desarrollado por Mario y Encarna en el café, con la muda presencia final de La madre ante el tragaluz, en evidente simetría con el final del primer acto, en que era a El padre a quien veíamos [13]. Como sucedió en la otra, los investigadores cierran la segunda parte, y la obra toda, con dos palabras para despedirse.

La acción, muy sencilla, se centra en torno al desvelamiento de algo oculto en el pasado, según un recurso dramático que remonta su origen a los clásicos griegos. Es el caso del *Edipo rey,* de Sófocles, modelo de tragedia que ha actuado de forma permanente en el teatro occidental y del que extrajo su elaborada y sólida fórmula dramática el noruego Henrik Ibsen.

En EL TRAGALUZ, la primera alusión a ese pasado ocurre muy pronto y se vincula ya a otra de las metáforas de la obra, aludida antes: el tren. Es el cerebro de Vicente quien lo evoca, aunque el ruido de su marcha sea un añadido de los experimentadores, que habían explicado al inicio: «Lo utilizamos para expresar escondidas inquietudes (...) Oiréis, pues, un tren; o sea un pensamiento».

Poco a poco, la turbia realidad de lo ocurrido años atrás se va desvelando. En la primera escena Vicente informa a

---

[13] Buero tiende a concluir los dramas escritos a partir de 1960 con una breve escena, que supone cierto anticlímax, pues contrasta con momentos anteriores de mayor tensión emocional, en los que la acción ha concluido casi del todo. Recuérdense el cuadro plástico de *Las Meninas* o el monólogo de Haüy en *El concierto de San Ovidio.* También aquí la acción está cerrada; los investigadores anuncian antes del cuadro segundo —no del tercero— que la «historia... se desenlaza» ya. Ha terminado la acción, pero no la obra. Desde luego, el objetivo buscado es siempre no concluir en el momento más patético, para que el espectador no se vea arrastrado sólo por la emotividad y pueda surgir en él la conciencia crítica.

Encarna de la locura de El padre; luego, en el segundo cuadro, es Mario quien resume su pre-historia a la joven, una vez que ella ha contado la suya. Será, sin embargo, en el tercero cuando por primera vez se dé noticia de la muerte de Elvirita al acabar la guerra.

Además, existe también una acción desarrollada en el presente, que gira en torno a Encarna, amante de Vicente, pero casi comprometida con Mario, sin que ninguno de los dos conozca la relación con el otro. Asimismo, se introduce muy pronto el motivo de la conspiración contra el escritor Beltrán, conocida sólo por referencias indirectas, pero conectada con la entrada de nuevos socios en la Editorial en que trabajan Vicente y Encarna.

En la segunda parte los motivos dispersos y en apariencia independientes se interrelacionan, lo que está ya sugerido por el hecho de que El padre identifique en su alucinación el tragaluz del presente con el tren del pasado y a Encarna con su hija muerta. Todos los elementos van formando un nudo, que es como una cadena en torno a Vicente: su comportamiento actual con Encarna y Beltrán, denunciado en el primer cuadro de este acto, es sólo la consecuencia de un modo de proceder que comenzó mucho tiempo atrás. La muerte de Elvirita y la locura de El padre acaban por resultar también efectos de su proceder, y su última y extensa intervención es la confesión definitiva, la aceptación de los hechos, la anagnórisis clásica, como ya se ha apuntado.

El espectador sólo sabe la verdad completa de los hechos al final, pero es a la luz de lo conocido entonces cuando puede entenderlos. Para ordenar ahora el análisis de los problemas que la obra plantea, lo más clarificador será observar la intervención de cada uno de los personajes centrales, que revelará a la vez su significado.

Los personajes

Vicente ofrece inicialmente, a sus cuarenta años, una imagen de ejecutivo triunfador, que comienza a verse socavada poco a poco. Ayuda económicamente a sus padres, proporciona ocasionales trabajos como corrector a su hermano y le brinda un puesto fijo, protege a Encarna, acaba de comprarse un coche, signo de bienestar muy evidente en 1967, pero, con todo, su vida no es satisfactoria.

En este punto se produce una de las constantes más destacadas en todo el teatro de Buero Vallejo. Si a menudo ha planteado sombríos panoramas de lo que es capaz de originar el proceder de los hombres, su tarea no se limita simplemente a exhibir el mal, sino que profundiza en búsqueda de sus causas, buceando en las raíces de la conducta. Ello otorga a los dramas un profundo sentido moral, pero a la vez les confiere su faceta más positiva, por no decir optimista.

Lejos de creer en el absurdo de la vida, que haría de la maldad y la violencia efectos gratuitos de imposible remedio, en su universo dramático se plantea sistemáticamente el tema de la responsabilidad por el modo de actuar de cada uno. De ahí que sus personajes puedan ser culpables u homicidas, pero no malos —o buenos— de una pieza, seres unilaterales o muñecos movidos por el azar o la sinrazón.

Vicente ha obrado mal al huir en el tren y provocar la desgracia en la familia, pero continúa haciéndolo desde entonces, con nuevos actos de egoísmo: abandona otra vez a sus padres cuando termina el servicio militar (en la cronología interna de la obra, esto debió de suceder hacia 1948) y actúa en el presente con la misma falta de escrúpulos.

Y, sin embargo, pese a su éxito aparente, no es un hombre que pueda vivir tranquilo. Como tantos otros personajes buerianos que obran de manera incorrecta contra sus semejantes (el policía torturador que se consulta con el doctor Valmy, el Juan Luis de *Jueces en la noche,* el Fabio de *Diálogo secreto* o el Lázaro de «El Laberinto») ve su espíritu corroído por el desasosiego y el malestar, como signo visible de que hay principios cuya infracción acaba por pagarse, aspecto éste que Buero desarrolla sobre todo en las obras de los últimos años.

Esta constante, que puede hallar su origen en una ética kantiana, supone la existencia de unos límites para la acción humana que no pueden ser sobrepasados. El mal que se ejerce sobre otros hombres implica la ruptura de un orden moral, que no queda impune. Las consecuencias externas revierten contra el infractor de manera directa o indirecta, en cumplimiento de la justicia poética; pero, desde luego, se producen siempre en el plano psicológico del individuo. Ésa es la causa de la 'fatiga' a que alude el propio Vicente en su confesión final: «Le aseguro que estoy cansado de ser hombre. Esta vida de temores y de mala fe, fatiga mortalmente».

A partir de estas palabras adquiere todo su sentido el comportamiento del personaje. Su preocupación tardía por los padres, la asignación mensual que les pasa, los regalos (el aparato de televisión, la nevera prometida) son expresión del deseo de pagar una remota factura que sabe pendiente, realizado en el único terreno en que sabe moverse: los objetos materiales, las cosas. Él ha estado siempre obsesionado por lo que causó al escapar en el tren cuando terminó la guerra y por ello aparece asociado al sonido de la máquina, como ya hemos visto.

Vicente nunca ha podido borrar la escena de su memoria y, al inicio de la segunda parte, decide hablar de ella con su madre, en busca de alguien que respalde su versión de lo ocurrido: «Y del tren, ¿te acuerdas?». La madre quiere la concordia y, en efecto, le da la razón, pero en ese momento él revela su íntimo desasosiego: «¿cómo iba yo a olvidar aquello?». Mario no está presente aquí y, sin embargo, adivina lo que ocurre en la conciencia de su hermano, cuando le dice más adelante: «tú no puedes olvidar».

Por eso se producen las visitas de Vicente al sótano, cada vez más frecuentes. Sus bajadas al «pozo», como se denomina el aposento del tragaluz, son el sustituto simbólico de sus intentos de aplacar lo que se esconde en la profundidad de su conciencia. Pero fingir no será nunca el camino de la concordia y de la paz en el teatro bueriano. En la confesión final, realizada ante El padre loco, admite al fin sin rodeos la verdad y hace explícita la ilusoria búsqueda de un castigo que le deje definitivamente tranquilo: «quisiera que me entendiese y me castigase, como cuando era un niño, para poder perdonarme luego...».

La implicación de las cuestiones sugeridas por el personaje de Vicente no se ciñen, sin embargo, a la mera dimensión personal. Ésta sirve para configurarlo como individuo teatralmente rico y complejo, pero, además, a través de él se plantean problemas de gran trascendencia, que sólo se aclaran al observar la relación con su hermano.

Como veremos luego con más detalle, Mario es su contrafigura. El enfrentamiento entre ambos tiene una faceta particular y hasta sentimental, revelada por el personaje de Encarna, pero sobre todo se trata de un choque ideológico. Mario se opone a Vicente, no sólo por lo que este ha hecho, sino porque representa los valores de la situación dominante, esto es, de un tipo de sociedad regida por el materialismo, la insolidaridad y el lucro a toda costa, que produce efectos aberrantes. El hermano mayor participa de lo que el otro llama «ese juego siniestro», que él aborrece y que caracteriza como engaño, zancadilla, componenda, pisar a los demás, comer antes de ser comido...

De esta manera, EL TRAGALUZ eleva sobre el escenario un debate fundamental, quizá todavía más necesario hoy que en el momento de su estreno, y no sólo entre nosotros. El modelo encarnado por Vicente es, sin duda, el que sustenta el sistema capitalista de las sociedades occidentales, y, por tanto, de la misma España. Al exponer las consecuencias que produce, la pugna fraterna se convierte en una gigantesca metáfora acerca de los modos de organizar la convivencia colectiva.

La obra no se limita, sin embargo, a ofrecer un panorama aséptico o poco comprometido. Por el contrario, en ella se sugiere que ese sistema basado en la obtención del beneficio por encima de todo, la explotación del ser humano, el individualismo extremo y la alienación por los objetos no sólo resulta brutal, sino que además encierra en su seno la injusticia, cometida contra muchos en muchos lugares. Neveras, televisores, lavadoras no son sólo instrumentos para mejorar la vida diaria, sino el signo entonces incipiente de un consumismo a ultranza que no haría más que incrementarse en los años venideros. En ese sentido, frente al coche de Vicente, supone un hecho muy significativo que Beltrán se niegue a adquirirlo: «No es un pobre diablo más, corriendo tras su televisión o su nevera; no es otro monicaco detrás de un volante, orgulloso de obstruir un poco más la circulación de esta ciudad insensata...».

Ese mundo, dominado por la obsesión económica, que tiene su correlato en los anuncios que inundan las pantallas y provocan la reacción violenta, pero no absurda, de El padre, es el que Mario decide rechazar, refugiándose en la marginación o, como él mismo dice, optando por «la pobreza». Sin embargo, otros no han podido elegir, como revela crudamente la historia de Encarna. El cabeza de familia puede estar loco por causa de Vicente, pero no es el único padre mencionado en la obra. El de la joven tuvo que dejar su pueblo por falta de trabajo e irse hace seis años a la ciudad o, mejor dicho, a las chabolas. Allí vivía tras emplearse como albañil, hasta que, agotado en el vano intento de asegurar un futuro a su hija, cayó del andamio tres años después, dejándola en absoluta soledad.

Desde luego, ello no ha sido culpa de Vicente, pero sí del sistema que, como hemos visto, él representa. Por eso Mario se niega a participar en ese «juego» siniestro: «yo no sería capaz de entrar en el juego sin hacerlo [pisotear a los demás]», dice en la primera parte. Y cuando su hermano le invite en la segunda a salir del «pozo», le responderá con ironía: «¿A jugar el juego?». Las maniobras de la Editora provocan su pregunta: «¿A qué estáis jugando allí?»; pero, según Vicente, no es más que «un juego necesario». Mario le cortará implacable, conectando todos los hilos dispersos: «¡Claro que entiendo el juego! Se es un poco revolucionario, luego algo conservador... (...) Porque ¿quién sabe ya hoy a lo que está jugando cada cual? Sólo los pobres saben que son pobres».

El círculo se cierra en torno al hermano mayor, como ya sabemos. Hombre de la situación e imagen simbólica o emblema de su representante más descarnado, el explotador, se ha aprovechado del miedo a la miseria de Encarna y tiene que oír la requisitoria de su hermano: «¡Ah, pequeño dictadorzuelo, con tu pequeño imperio de empleados a quienes exiges que te pongan buena cara mientras tú ahorras de sus pobres sueldos para tu hucha!».

De muchacho huyó y causó tres víctimas: su hermana, muerta, El padre, trastornado luego por su causa, y Mario mismo, según llega a confesar; sin embargo, no es sólo su acción de entonces lo que importa: «¡Pero ahora, hombre ya, sí eres culpable! Has hecho pocas víctimas, desde luego; hay innumerables canallas que las han hecho por miles, por millones. ¡Pero tú eres como ellos! Dale tiempo al tiempo y verás crecer el número de las tuyas... Y tu botín». Su actitud ocultaba, bajo el encanto del dinamismo y el carácter emprendedor, muy turbios procedimientos, lo que —una vez más hay que reiterarlo— no se ciñe al caso individual de Vicente, sino que se predica como consustancial a una determinada organización socioeconómica, en la que importa muy poco el ser humano.

Ahora bien, considerado como personaje concreto, su lamentable final hace que él mismo se vea convertido en víctima, que expía de forma tremenda sus errores. Para entender este desenlace hay que detenerse un momento en la figura de El padre.

Nos encontramos ante una gran creación teatral en su extravío o locura. A él corresponden los escasos momentos de humor que encierra la obra, pero sobre todo destaca su honda dimensión trágica. El anciano vive una regresión temporal, en la que a veces cree que sus hijos aún son pequeños y otras piensa ser él mismo un niño, por lo que confunde a su esposa con su madre o declara enfadado que quiere volver con sus padres. Sin embargo, su mente alucinada sigue una línea que, dentro de la incongruencia, posee una lógica diáfana, así, se sitúa una y otra vez en la época clave del final de la guerra, cuando el tren se llevó a Vicente y con ello se produjo la muerte de Elvirita. Él es el primero de la familia en mencionar el tren y a menudo habla de la sala de espera, recuerdo de aquella en que se refugiaron un día aciago de 1939.

Su memoria parece haberse congelado en ese instante en que se produjo la catástrofe, y su pensamiento, detenido en el tiempo, está obsesionado por «salvar» a la gente, como compensación de su dolor por no haber podido hacerlo con la niña. Por ello dirá a Vicente: «Hay que tener hijos y velar por ellos». A los suyos, pero sobre todo a Elvirita, los mantiene siempre vivos en el recuerdo. Los oye llorar en el transcurso de la obra y él mismo solloza calladamente al final de la primera parte: «¡Mario! ¡Vicente! ¡Cuidad de Elvirita!».

Esto explica de manera decisiva el desenlace. En el momento en que Vicente confiesa su culpa, acumula varios errores. Se equivoca al pensar que su padre ya no distingue nada («ni siquiera sabe usted ya quién fue Elvirita») y de ahí que le hable como si no pudiese entenderle. Busca una expiación, pero la cree imposible. El castigo que anhelaba en secreto va a producirse, sin embargo, con la desmesura que le impone la demencia de quien lo ejecuta. El hijo ha cometido otro error, que encierra una ironía trágica: «¿quién puede ya perdonar, ni castigar? Yo no creo en nada y usted está loco». Y la última equivocación, de nuevo cargada de sofoclea ironía, se encierra en sus desalentadas palabras: «Dentro de un momento me iré».

Vicente no se irá, porque El padre se lo impide. Éste acaba de oír cómo su hijo se declara sin rodeos responsable de aquello que más le duele: «la niña murió por mi culpa». En este momento, el espectador sabe más que el personaje, pues ha visto al viejo obsesionado con aquel hecho. Por tanto, cuando Vicente declare que va a marcharse «a seguir haciendo víctimas...»; «a seguir pisoteando a los demás»; más aún, cuando vuelva a reiterar: «¡Elvirita murió por mi culpa, padre!», y recuerde todavía el tren que se lo llevó («Elvirita... Ella bajó a tierra. Yo subí... Y ahora habré de volver a ese tren que nunca para...»), El padre lo detendrá: «Tú no subirás al tren».

Con ello no se produce sólo la imposición del castigo por su comportamiento. El acto conlleva el ejercicio de la trágica justicia poética, pero desde la perspectiva de El padre se trata además de impedir que su hijo huya en el tren. En su lógica alucinada, ha comprendido en profundidad lo que se le está diciendo, aunque ello no signifique que haya recuperado la razón; se trataría entonces de un simple caso de venganza dilatada en el tiempo.

Por el contrario, El padre desea evitar que se cumpla el hecho pasado, ocurrido casi treinta años atrás. Él ya vive siempre en ese tiempo y su mente se ha cristalizado en aquella escena de la estación, actualizada ahora por el sonido atronador del tren que en este instante llena el teatro. Entonces se produce un rapto de máxima e inconsciente lucidez, sin salir de la locura. Al detener a Vicente lo que intenta es conseguir que no suba al tren, esto es, que no lo haga *entonces,* en 1939, y, por tanto, que Elvirita no muera de inanición. Quiere salvar a la niña con las mismas tijeras con que salva a los seres de sus postales [14] y de ahí que su primer gesto sea luego dirigirse al tragaluz, a través del que creía hablar con ella al final de la primera parte.

Vicente paga al cabo por lo que ha hecho, pero la dureza de su castigo no puede hacernos olvidar lo que su personaje significa. Frente a él, y a todo lo que encarna, se levanta Mario, y la oposición entre ambos revive el mito de Caín y Abel [15]. El hermano menor está marcado por la repugnancia

[14] Véase el artículo de Kronik, págs. 393-394.

[15] Véase sobre este tema Ricardo J. Quinones, *The Changes of Cain. Violence and the Lost Brother in Cain and Abel Literature,* Princeton University Press, Princeton, New Jersey, 1991, aunque el único autor español que trata es Unamuno. Se estudia aquí la relación de la fraternidad con la violencia y la muerte, la culpa, el bien y el mal, el otro, la responsabilidad y la justicia.

que le causan los valores que dominan el mundo, la cual le ha llevado a automarginarse, hundido en el «pozo» donde la familia ha caído desde el final de la guerra. Su modelo ha sido «la religión de la rectitud» inculcada por El padre, que no parece tener vigencia en los tiempos que corren. Asqueado ante el panorama que ve, se refugia en el subterráneo, decidido a permanecer con su familia como 'hombres del subsuelo'.

Su ideal, con algunas connotaciones de raigambre estoica, es la pasividad impasible, que le permita contemplar las cosas sin mezclarse con ellas. En un recuerdo muy claro de la famosa metáfora de Calderón, el sótano en que se encierra es semejante a la prisión-sepulcro donde se halla Segismundo, y la vida de Mario parece discurrir como un sueño, que su hermano quiere romper: «¡Pero es absurdo, es delirante! (...) ¡Estás soñando! ¡Despierta!». Sin embargo, en su postura hay elementos contrapuestos, que hacen también de él una figura compleja.

Por una parte, su deseo de no implicarse le inclina a un egoísmo insolidario, sugerido por la propia Encarna («Las pocas veces que ibas por la Editora no mirabas a nadie») y denunciado por Vicente: «¡No harás nada útil si no actúas! Y no conocerás a los hombres sin tratarlos, ni a ti mismo si no te mezclas con ellos». Él mismo confirmará que el contacto con los demás le resulta insoportable: «Cuando me trato con ellos me pasa lo que a todos: la experiencia es amarga. Noto que son unos pobres diablos, que son hipócritas, que son enemigos, que son deleznables... Una tropa de culpables y de imbéciles».

De ahí procede su innegable tristeza y el propósito de hallar la salvación para sí mismo: «Pero yo, en mi rincón, intento comprobar si puedo salvarme de ser devorado..., aunque no devore». Sólo parece quedarle el borroso recuerdo de una infancia más feliz, pero los niños mueren, físicamente, como le ocurrió a su hermana Elvirita, o cuando crecen [16]. La conclusión es desoladora: «Todos estamos muertos».

Mario parece rechazar la vida y cuando Encarna le sugiere, conciliadora: «Pero... hay que vivir...», él responderá secamente: «Ésa es nuestra miseria: que hay que vivir» [17]. No obstante, su postura dista de ser del todo negativa. Al fin y al cabo, ha entablado una relación con Encarna y se preocupa por la suerte de Beltrán. Además, en él se encierra igualmente una insólita capacidad de preocupación por los demás, que lo aproxima a El padre.

Él no toma a broma, como Vicente, a su trastornado progenitor; cuando éste reitera una y otra vez, con frecuencia obsesiva, la pregunta «¿quién es ése?», Mario se interroga sobre su significado. Esta cuestión remite al conocimiento de la personalidad real del hombre y está vinculada a la metáfora del tragaluz y al mundo de los investigadores. Atañe a las más profundas sugerencias metafísicas de la obra y a la vez encierra muy claras alusiones al plano metaliterario, tal como se apuntó antes y quedó pendiente del desarrollo que ahora debe dársele, para iluminar luego sus alcances filosóficos.

---

[16] Hay múltiples referencias a los niños en la obra, desde los que evoca El padre en su locura (sus hijos), hasta los que hablan con él por el tragaluz al final de la primera parte. Simbolizan el futuro, en cuanto proyectan la continuidad del hombre en la historia. A ello pueden aludir las palabras de Vicente: «Niños. Siempre hay un niño que llama», y, desde luego, ése es el sentido del que espera Encarna, hijo, como dice Mario, de los dos hermanos; el mayor no ha querido hablar de él a lo largo de la obra —nuevo símbolo de su egoísmo—, pero el menor lo hará suyo al final («Será nuestro hijo»), con lo que se convierte en síntesis dialéctica de las fuerzas enfrentadas en el drama.

[17] Poco después, en el cuadro final de la primera parte, La madre le repetirá idéntica frase, en busca de la tranquilidad familiar: «No hay que complicar las cosas... ¡y hay que vivir!».

El enigma de la personalidad

Desde su voluntaria marginación, Mario ha podido llegar a un concepto de solidaridad superior, pues al ver el mundo desde sus orillas consigue descubrir aspectos de la humanidad que pasan desapercibidos para los más. Así, esa «tropa de culpables y de imbéciles» se le convierte en algo muy distinto cuando la observa con una nueva perspectiva, esto es, cuando la descubre desde el tragaluz. Los fugaces retazos de la vida que pasa, las palabras sueltas que hablan de preocupaciones diarias, son «inesperadamente hermosas».

Aquí se producen ecos muy claros de una situación bien conocida en el pensamiento occidental, la de la gruta platónica presentada en *La República,* en la que los hombres veían reflejadas en la pared del fondo las sombras de quienes pasaban, como ocurre en nuestra obra. Además, Mario reproduce otro famoso proceso discursivo y, al igual que Segismundo llegaba desde su cárcel a descubrir la vida en el sueño, él también aprende a conocer la realidad desde su pozo. Porque eso es el tragaluz: el símbolo de un medio de conocimiento de la realidad, que cabe denominar poético [18], porque es la poesía, o la literatura en general, la que lo asume de forma paradigmática. Frente a la epistemología racional, el arte se rige por la intuición, y Mario alude a las revelaciones aportadas desde el tragaluz con términos que inequívocamente remiten a lo que es propio de la faena de invención artística y literaria.

Ante el «juego» deletéreo que se practica en el mundo y que Vicente desarrolla en la Editora, su hermano muestra su preferencia por «nuestro juego de muchachos», «¡El juego de las adivinanzas!»: «Abríamos este tragaluz para mirar las

---

[18] Véase el artículo de Gabriela Chambordon.

piernas que pasaban y para *imaginar* cómo eran las personas». Cuando ambos desarrollan ese juego en la escena final de la primera parte, se despliega esa 'imaginación' (término ya revelador), que Mario define como el producto de «observar las cosas, y a las personas, desde ángulos inesperados...».

Tal actividad es rechazada por Vicente, el hombre positivo, que alega que así «te las *inventas»,* y que al momento acusa al hermano: «¡Estás *inventando!».* Pero Mario parece muy seguro de su terreno: «Es un juego». Todos los términos que se utilizan en esta escena —«invenciones», «mentira», «disparate», «figuraciones», «engaños»—, pueden utilizarse para definir lo propio del 'juego' en que consiste la literatura, y varios, en efecto, podrían evocar aquel momento famoso en la historia de la metanarración occidental que es el debate entre Don Quijote y el Canónigo de Toledo *(Quijote,* I, 47-48). Nada menos extraño, pues, que, ante una de las 'invenciones' de Mario, su hermano le llame, aunque burlonamente: «Poeta».

No cabe duda de que el 'juego' del tragaluz está presentado sutilmente como un correlato del arte y, en concreto, de la literatura. Un artista lo que hace es captar la realidad desde una perspectiva que la desfamiliarice o la desautomatice, si preferimos un término más técnico, para crear de ella una imagen nueva y sorprendente (los «ángulos inesperados» de Mario).

Así pues, desde dentro de la obra se nos habla en esta escena de una forma de conocimiento no racional, sino intuitivo, similar al literario, y que, como él, posee una esencia lúdica —es un «juego»—. Si los investigadores, en el marco externo que configuran, asumen y reiteran el papel del autor literario, al preparar el montaje de la «historia», dentro de esta se repite lo que es propio de la literatura. Se asiste así a la creación poética de la realidad, a su «invención», si queremos decirlo de este modo. Y ello está todavía subrayado por la disposición escénica elegida, que incrementa el componente metateatral y especular del drama, pues vemos a Mario, Vicente y El padre contemplando una especie de representación («¡Como en el cine!», se dice en ese instante), convertidos en espectadores, como lo somos nosotros, reproduciendo, pues, nuestro papel.

EL TRAGALUZ resulta ser así una obra artística autorreferencial, pues encierra una alusión a la creación del arte y, por tanto, a sí misma. Esa escena repite como en miniatura —como en un espejo— la propia configuración de la obra: Mario, al igual que un demiurgo (o que un autor), procede a la creación de algo que le sirve además como medio de conocimiento. «¡Si es ésta tu manera de *conocer* a la gente, estás aviado!», dirá el hermano mayor; pero el «prodigio» existe, en efecto. Como en el caso de la caverna platónica, lo que así se consigue es una visión fragmentaria de la realidad, sin duda, pero a la vez insustituible, como lo es el conocimiento intuitivo.

Aclarado este aspecto, que no cabe considerar menor, podemos proseguir el análisis. Mario, que no está condicionado por una finalidad utilitaria y posee, en cambio, la intuición, piensa, ante la pregunta de El padre («¿Quién es ése?»), en la necesidad de conocer la verdadera entidad de cada uno de los hombres. Ésa es la solidaridad universal que adivina y que se le aparece de improviso cuando alguien se asoma al tragaluz y mira hacia dentro. Se produce entonces la «revelación», el «prodigio», al originarse un mudo diálogo entre las miradas que se cruzan: «¿quién es? Él también se pregunta: ¿quiénes son ésos? Ésa sí era una mirada... sobrecogedora. Yo me siento... él...».

Sin embargo, ese alguien que mira por el tragaluz no es uno cualquiera. En principio, se convierte en un espejo para

Mario, pues se ve reflejado en él, lo mismo que él halla su reflejo en el otro («Yo me siento... él...»). Pero, aparte de remitir a esa hermandad solidaria que Mario intuye, la disposición escénica elegida, con el tragaluz en la cuarta pared, convierte a ese curioso en alguien que mira desde el lugar en que se encuentra el público y por tanto suplanta al espectador. El espejo reproduce entonces mi rostro: yo me siento él, y asimismo oigo a Mario sentirse igual a mí. ¿Quién es ése? Él, y Mario y yo.

Ahora bien, la estructura temporal de la obra nos permite saber que ésa es la conclusión a que el hombre ha llegado al cabo de los siglos, como revelan los investigadores. En el hipotético siglo XXX desde el que nos hablan han superado muchos de los problemas actuales de la humanidad; «injusticia, guerras y miedo» parecen ser, para ellos, brutalidades del pasado. Sin embargo, mantienen aún la incertidumbre respecto a algunas cuestiones, lo que llaman «nuestros últimos enigmas», que enuncian sencillamente: «El tiempo... La pregunta...».

Así pues, *la pregunta* (¿quién es ése?) obtiene una respuesta, pero ellos mismos ignoran «si es verdadera», porque alude a un problema insondable, infinito, que conduce siempre a nuevas interrogaciones. Cabría formularla también como: ¿quién soy yo?, según Mario mismo sugiere en el epílogo cuando, a la luz de lo ocurrido, sustituye la cuestión de El padre por otras: «¿Qué quería yo? ¿Cómo soy? ¿Quién soy?» [19]. Cualquier contestación que se dé será

[19] En ese momento aparece por última vez una referencia al «juego». Encarna, víctima como lo fue Elvirita, con la que se la ha ido identificando en la obra, también ha sido tratada duramente por Mario. De ahí su ruego: «No juegues conmigo». Pero él ha aprendido, al reconocerse responsable parcial de la suerte de su hermano. Por tanto, no entrará en ese juego, que no es otro que el que antes denunciaba en Vicente: «No jugaré contigo. No haré una sola víctima más, si puedo evitarlo».

siempre insuficiente. A ello se refería el propio Buero Vallejo, al comentar su obra en un coloquio:

> Y no hay respuesta (...) Por supuesto, hay muchísimas respuestas para la pregunta en el terreno biológico, en el terreno genético o en el terreno psicológico; en muchos aspectos. Ahora, para el último sentido de la pregunta no hay respuesta, y no la tendremos nunca porque estamos preguntando desde nosotros mismos. Y desde nosotros mismos no podemos vernos; no sabemos lo que somos ni quiénes somos [20].

El enigma de la personalidad no obtiene, pues, solución. La pregunta sobre quién es cada uno ha de ser permanentemente formulada, pues toda respuesta es transitoria, parcial y precaria. Nadie se conoce en lo más hondo y cabría decir, en cierto modo, lo que ya se concluía en la obra de Calderón: «todos sueñan lo que son, / aunque ninguno lo entiende». Pero a la vez también es verdad que la manera de responder al interrogante a lo largo de los tiempos va perfilando los límites desde los que se plantea y permite profundizar en el progreso del conocimiento.

De este modo, los hombres del siglo XXX contribuyen con su personal contestación a construir un mundo mejor, pues se saben «solidarios, no sólo de quienes viven, sino del pasado entero. Inocentes con quienes lo fueron; culpables con quienes lo fueron». Ésa es la razón de que, en un

---

[20] Tras destacar el carácter trágico de la pregunta, añadía: «ese no saber quién es, o nosotros mismos, que no sabemos quiénes somos, lo que sí sabemos es que ese y yo y todos vamos a morir. Y la limitación del morir (...) no dejará tampoco nunca de ser una limitación con la cual no podemos pactar ni resignarnos». Véase el texto completo de la intervención de Buero en el volumen coordinado por Cristóbal Cuevas, págs. 64-65.

ejercicio de humanismo definitivo, recuperen las vidas perdidas en el pasado, como son las de aquella familia habitante del aposento del tragaluz.

Convencidos de la «importancia infinita» de cada hombre, atienden a la colectividad, al «bosque», pero con la seguridad de que, a la vez, como complemento indispensable, han de hacer lo propio con cada uno de los árboles, empresa utópica y casi imposible de cumplir, que ellos mismos califican de locura: «Compadecer, uno por uno, a cuantos vivieron, es una tarea imposible, loca. Pero esa locura es nuestro orgullo».

La locura de la solidaridad

Los investigadores se tachan a sí mismos de 'locos', pero el espectador de la obra sabe que ese término no es inocente. En efecto, cualquier duda que hasta ese instante pudiera albergarse acerca del carácter de precursor de El padre queda disipada, y se nos descubre como antecedente no tan inesperado de los hombres del futuro. Su preocupación por cada uno («¿Quién es ése?») despliega con toda la pureza de su mente alucinada la misma idea: el deseo de respetar la identidad de cada ser humano.

Mario, a quien vimos muy cercano a su progenitor, revelaba idéntico afán, aunque lo que en él aparecía con un matiz egoísta de solución personal («intento comprobar si *puedo salvarme...»),* en El padre se trasciende en una misión de finalidad universal; por ello no quiere recortar las postales en que aparecen grupos: «Si los recortas entonces, los partes, porque se tapan unos a otros. Pero yo tengo que velar por todos y al que puedo, *lo salvo*».

En un mundo regido por los imperativos de la razón práctica, como el del siglo XX, un pensamiento similar será confinado en los territorios de la sinrazón. Los investigadores confirman que esa tarea imposible de compadecer uno a uno a todos los hombres («esa locura es nuestro orgullo») apenas podía interesar en el pasado a otros locos, «hombres oscuros, habitantes *más o menos alucinados* de semisótanos».

Y ello no afecta sólo a El padre. De ahí que resulte una consecuencia casi obligada que Mario sea también tachado de perturbado varias veces y siempre por boca de su hermano, voz de la cordura. «Estás loco», le dice hacia el final de la primera parte, cuando le expone precisamente su idea de emprender «la investigación» y averiguar quién es cada uno de los hombres. Luego, insistirá: «¿Tan loco te ha vuelto el tragaluz...?»; «¡Explícanos ya, si puedes, toda esa locura tuya!»; «El otro loco, mi hermano...».

Loco es, muchas veces, el que se adelanta a su tiempo y se atreve a pensar lo que nadie piensa. Esa es la perspectiva que ofrece EL TRAGALUZ, cuya profundidad temporal permite además presentar la historia de la humanidad como una lucha tenaz por conseguir una concordia definitiva. Si todo hombre es mi hermano, no cabe hacerle mal. Más aún: si cada hombre soy yo mismo, como sugería Schopenhauer, no podrían existir el crimen o la tortura[21].

---

[21] La alusión a Schopenhauer como el filósofo del siglo XIX que dio una respuesta al problema de la igualdad entre yo y tú es inequívoca; véase la nota a ese lugar en la presente edición. En *El mundo como Voluntad y Representación* se desarrolla la idea de la identidad común de todos los hombres como fundamento de la moral. Cada uno asume los dolores de todos los demás y es a la vez verdugo y víctima, reo y juez. Sobre la influencia del filósofo en otros autores, de Wagner a Beckett, véase John Peter, *Vladimir's Carrot. Modern drama and the modern imagination,* The University of Chicago Press, Chicago, 1987, págs. 22-53.

Ése era el motivo por el que la pregunta de El padre y la respuesta que le da Mario se revelaban proféticas. La suya era *«la pregunta»*, que los investigadores precisan que invadió la tierra en el siglo XXII. La contestación que ellos le dan parece ser la única que les ha permitido seguir viviendo: «Ése eres tú, y tú y tú. Yo soy tú, y tú eres yo. Todos hemos vivido, y viviremos, todas las vidas»[22].

Todos somos uno, en cuanto que formamos una cadena que nos proyecta hacia adelante y hacia atrás. Del barro de los cuerpos se amasan nuevos hombres y nada queda encubierto y nada queda impune. Mario hablaba de «saber el comportamiento de un electrón en una galaxia muy lejana» y Vicente llamaba a eso «¡El punto de vista de Dios!», pero los investigadores descubren que ese es el punto de vista de los hombres en el futuro, en ese futuro que, dentro del planteamiento de la obra, es ya presente y en el que se puede conocer el modo de actuar de cada uno en cualquier época.

«La acción más oculta o insignificante puede ser descubierta un día»; «Cada suceso puede ser percibido desde algún lugar». Por tanto, cada electrón, cada hombre ve su conducta juzgada por un tribunal formado por el resto de seres humanos, de ayer, de hoy y de mañana, y del que él mismo forma parte. Ése es el sentido final de la afirmación de los investigadores: «Un ojo implacable nos mira, y es nuestro propio ojo. El presente nos vigila; el porve-

---

[22] En mi libro *La trayectoria dramática...*, págs. 369-370, mencionaba varias referencias filosóficas y literarias de esta idea. Véase ahora Karl F. Morrison, *«I am You». The Hermeneutics of Empathy in Western Literature, Theology, and Art*, Princeton University Press, Princeton, New Jersey, 1988, donde se trata de la reiterada aparición de la sentencia «Yo soy tú» en los más diversos contextos culturales, desde la teología hinduista o los himnos herméticos y gnósticos, hasta la mística cristiana.

nir nos conocerá, como nosotros a quienes nos precedieron»[23].

En ese futuro lejano e impreciso, se habrá superado, pues, la dialéctica entre individuo y colectividad, y aludir a este debate no es una de las menores virtudes de EL TRAGALUZ. En un momento en que los intelectuales comprometidos parecían en los años sesenta obsesionados tan sólo por los valores sociales y muchos tomaban por peligroso desviacionismo la preocupación por el hombre concreto, Buero Vallejo elevó su voz para proclamar que era indispensable tener en cuenta al individuo, que no debía ser sacrificado en beneficio de un hipotético bien general[24].

Hoy, cuando han hecho crisis algunas maneras de organizar la convivencia que decían regirse por principios de solidaridad social —el llamado socialismo real—, se corre el riesgo de caer en un feroz individualismo y ciertas teorías consideran que todo afán colectivo es algo pasado de moda

---

[23] Morrison, *«I am You»*, págs. 17-18, cita al místico Eckhart (las traducciones son mías): «el ojo con el que veo a Dios es el mismo ojo con el que Dios me ve. Mi ojo y el ojo de Dios es un solo ojo». Pero también aclara, pág. 20, que la idea de la identidad, nacida para expresar la fusión con lo divino, se convirtió luego en expresión de otros tipos de unidad humana. Así, desde la filosofía materialista, Feuerbach la emplea para referirse a la fraternidad: por sí mismo, un hombre es sólo un hombre, pero «el hombre con el hombre —la unidad de yo y tú— es Dios».

[24] Ya en 1963 escribía el autor: «acaso sea el problema fundamental de nuestra época el de esclarecer en qué grado la edificación de una sociedad justa y humana, mediante los necesarios empeños colectivos encaminados a la transformación externa de las estructuras sociales, tiene que contar con los esfuerzos interiores de cada individuo en pro de su personal realización». Y añadía que «toda tentativa de cambio externo de las estructuras económicas y políticas, emprendida sin conceder atención suficiente a la conducta moral de cada individuo y al problema de su personal perfeccionamiento, puede acarrear graves consecuencias». Véase su «Muñiz», en Carlos Muñiz, *El tintero. Un solo de saxofón. Las viejas difíciles,* Taurus, Madrid, 1963, pág. 66.

o que ha llegado el fin de toda utopía solidaria. Por eso es muy necesario enfrentarse de nuevo a obras como EL TRAGALUZ, que se convierte así en un grito de alarma respecto a los peligros que laten en el seno de nuestra vida cotidiana y predica, como siempre ha hecho su autor, la conveniencia de una síntesis que permita vencer los horrores aún existentes en el mundo, posibles porque los «activos olvidaban la contemplación; quienes contemplaban no sabían actuar».

Como conclusión final, el drama deja aleteando sobre el casi vacío escenario la posibilidad de que la tierra sea en el siglo XXX un lugar que haya superado realmente la «injusticia, guerras y miedo» de nuestro tiempo. «Quizá ellos algún día, Encarna... Ellos sí, algún día...» [25], dice Mario melancólicamente. Para conseguirlo, se sugiere la necesidad de dominar el egoísmo humano e ir más allá de una organización social que sólo atienda a los valores individuales.

Con ello se cumple uno de los principios más firmes que Buero Vallejo ha mantenido a lo largo de su trayectoria como autor. Hombre de pensamiento dialéctico y talante sereno, quiso atender a la vez a la persona concreta y a la sociedad en su conjunto. Daba así forma al mensaje que en los más diversos órdenes ha estado proponiendo siempre con su teatro. A la búsqueda de posiciones integradoras que resuelvan las contradicciones aparentes, ha escogido formas que sumaran la sólida construcción, aprendida en dramaturgos clásicos y modernos, con un carácter experimental que contribuyera a renovar un teatro de vocación decididamente realista.

---

[25] La ambigüedad de la referencia hace que «ellos» puedan ser los hombres que pasan por la calle, los hijos de Mario y Encarna, los hombres del futuro o los mismos espectadores, pues los personajes están mirando al frente. En cualquier caso, el sentido no varía mucho: «ellos» pueden superar la miseria del presente a base de comprensión y solidaridad.

Pero a la vez ha creído también que el arte escénico no debía ser una mera distracción pasajera y superficial. Por el contrario, y partiendo del supuesto de que ante todo era un entretenimiento, pensó que cabía ofrecer al espectador mundos que aunaran el interés por la intriga con la reflexión crítica sobre la realidad.

Dotado de una indudable maestría para construir estructuras dramáticas y concretarlas en un lenguaje directo, sobrio y altamente eficaz en la escena, quiso presentar al público un espejo en el que mirarse, pero que además encerrase dentro de sí la semilla de su permanencia. EL TRAGALUZ es, en este sentido, una muestra perfecta de su teatro, pues, pese a abordar un tema tan vinculado a su momento como las consecuencias de la guerra civil española, hoy, sin perder nada de su patética resonancia, mantiene viva su capacidad de convocatoria y perdura como uno de los ejemplos más sugestivos del teatro español del siglo XX.

LUIS IGLESIAS FEIJOO
Providence-Santiago, 1992-1998

BIBLIOGRAFÍA

EDICIONES DE *EL TRAGALUZ*

Ediciones en español

Primer Acto, 90, noviembre de 1967, págs. 20-60.

Escelicer, col. Teatro, 572, Madrid, 1968.

Taurus, col. El Mirlo Blanco, 10, Madrid, 1968 (con *Hoy es fiesta* y *Las Meninas;* varias reediciones).

Teatro español 1967-1968, Aguilar, Madrid, 1969.

Espasa Calpe, col. Austral, 1.496, Madrid, 1970 (con *El sueño de la razón;* varias reediciones).

Castalia, col. Clásicos Castalia, 35, Madrid, 1971 (ed. Ricardo Doménech; con *El concierto de San Ovidio;* varias reediciones).

Charles Scribner's Sons, New York, 1977 (ed. Anthony M. Pasquariello y Patricia W. O'Connor).

«Quaderni Ibero-americani» Editore, col. «Collana di "Testi e Studi"», 10, Torino, 1978 (con la traducción citada luego).

Castalia, col. Castalia Didáctica, 9, Madrid, 1985 (ed. José Luis García Barrientos).

Arte y Literatura, La Habana, 1991 (con otras seis obras del autor).

Espasa Calpe, col. Austral, A302, Madrid, 1993 (ed. Luis Iglesias Feijoo).

Espasa Calpe, Madrid, 1994 (ed. de Luis Iglesias Feijoo y Mariano de Paco, en el vol. I de la *Obra completa* del autor).

Traducciones

Podál'noe oknó. Trad. al ruso en el vol. *P'esy* de Buero Vallejo, «Iskússtvo», Moskvá, 1977, págs. 585-690 (incluye otras siete obras del autor).

Il lucernario. Trad. al italiano de Roberto Riccardi, «Quaderni Ibero-americani» Editore, col. «Collana di "Testi e Studi"», 10, Torino, 1978.

The Basement Window. Trad. al inglés de Patricia W. O'Connor, en el vol. *Plays of Protest from the Franco Era,* Sociedad General Española de Librería, Madrid, 1981, págs. 15-102 [1].

Fereastra de la subsol. Trad. al rumano de Ruxandra-Maria Georgescu, Univers, Bucuresti, 1984, págs. 127-206 (en un vol. con traducciones de *Las Meninas, El sueño de la razón, La Fundación, La detonación,* prólogo de Ileana Georgescu).

The Skylight. Traducción al inglés de John Koppenhaver y Susan Nelson, en *Modern International Drama,* 26/1, 1992, págs. 37-88.

ESTUDIOS SOBRE BUERO VALLEJO
Y EL TEATRO ESPAÑOL DE POSGUERRA [2]

AA. VV., *Antonio Buero Vallejo. Premio de Literatura en lengua castellana «Miguel de Cervantes» 1986,* Anthropos-Ministerio de Cultura, Barcelona, 1987.

---

[1] Existió otra traducción al inglés, *Basement Skylight,* de Adela Holzer, quien preparó como productora el estreno en Broadway en 1976, aunque finalmente no se llevó a cabo; parece que nunca se ha publicado. Véase Marion P. Holt, «Modern Spanish Drama and the English-Speaking Stage: Fact, Fiction, and Demystification», *Estreno,* XIV, 2, 1988, pág. 35.

[2] No se incluyen aquellos que se centran en una sola obra del autor.

AA. VV., *Antonio Buero Vallejo. Premio Miguel de Cervantes (1986),* Biblioteca Nacional, Madrid, 1987.

ÁLVARO, Francisco, *El espectador y la crítica (El teatro en España en 1975),* Prensa Española, Madrid, 1976.

Anthropos, 79, Extraordinario 10 (monográfico), diciembre de 1987.

AZNAR SOLER, Manuel (ed.), *Veinte años de teatro y democracia en España (1975-1995),* Associació d'Idees-CITEC, Sant Cugat del Vallès, Barcelona, 1996.

BEJEL, Emilio, *Buero Vallejo: lo moral, lo social y lo metafísico,* Instituto de Estudios Superiores, Montevideo, 1972.

BOBES NAVES, Jovita, *Aspectos semiológicos del teatro de Buero Vallejo,* Reichenberger, Kassel, 1997.

BONNÍN VALLS, Ignacio, *El teatro español desde 1940 a 1980. Estudio histórico-crítico de tendencias y autores,* Octaedro, Barcelona, 1998

BOREL, Jean-Paul, *Théâtre de l'impossible,* Neuchâtel, À la Baconnière, 1963. Trad. española de G. Torrente Ballester, *El teatro de lo imposible,* Guadarrama, Madrid, 1966.

CENTENO, Enrique, *La escena española actual (Crónica de una década: 1984-1994),* Sociedad General de Autores y Editores, Madrid, 1996.

CORTINA, José Ramón, *El arte dramático de Antonio Buero Vallejo,* Gredos, Madrid, 1969.

Cuadernos El Público, 13 (monográfico): *Regreso a Buero Vallejo,* abril de 1986.

CUEVAS GARCÍA, Cristóbal (ed.), *El teatro de Buero Vallejo. Texto y espectáculo. Actas del III Congreso de Literatura Española Contemporánea,* Anthropos, Barcelona, 1990.

DEVOTO, Juan Bautista, *Antonio Buero Vallejo. Un dramaturgo del moderno teatro español,* Elite, Ciudad Eva Perón [La Plata], Buenos Aires, 1954.

DIXON, Victor, y JOHNSTON, David (eds.), *El teatro de Buero Vallejo: homenaje del hispanismo británico e irlandés,* Liverpool University Press, Liverpool, 1996.

DOMÉNECH, Ricardo, *El teatro de Buero Vallejo,* Gredos, 2.ª ed. muy ampliada, Madrid, 1993.

DOWD, Catherine Elizabeth, *Realismo trascendente en cuatro tragedias sociales de Antonio Buero Vallejo,* Estudios de Hispanófila, University of North Carolina, Valencia, 1974.

EDWARDS, Gwynne, *Dramatists in Perspective: Spanish Theatre in the Twentieth Century,* Cardiff, University of Wales Press, 1985. Trad. española de A. R. Bocanegra, *Dramaturgos en perspectiva. Teatro español del siglo XX,* Gredos, Madrid, 1989.

Estreno, V, 1, 1979 (monográfico).

FERRERAS, Juan Ignacio, *El teatro en el siglo XX (desde 1939),* Taurus, Madrid, 1988.

FORYS, Marsha, *Antonio Buero Vallejo and Alfonso Sastre. An Annotated Bibliography,* The Scarecrow Press, Metuchen, New Jersey-London, 1988.

FUENTE, Ricardo de la, y GUTIÉRREZ, Fabián, *Cómo leer a Antonio Buero Vallejo,* Júcar, col. Guías de Lectura Júcar, 11, Madrid-Gijón, 1992.

GARCÍA LORENZO, Luciano, *El teatro español hoy,* Planeta-Editora Nacional, Barcelona, 1975.

GARCÍA PAVÓN, Francisco, *El teatro social en España (1895-1962),* Taurus, Madrid, 1962.

GARCÍA TEMPLADO, José, *El teatro español actual,* Anaya, Madrid, 1992.

—, *Literatura de la posguerra: El teatro,* Cincel, Madrid, 1981.

GERONA LLAMAZARES, José Luis, *Discapacidades y minusvalías en la obra teatral de D. Antonio Buero Vallejo (Apuntes psicológicos y psicopatológicos sobre el arte dramático como método de exploración de la realidad humana),* Universidad Complutense, Madrid, 1991.

GIULIANO, William, *Buero Vallejo, Sastre y el teatro de su tiempo,* Las Américas, New York, 1971.

GÓMEZ GARCÍA, Manuel, *El teatro de autor en España (1901-2000),* Asociación de Autores de Teatro, Madrid, 1996.

GONZÁLEZ-COBOS DÁVILA, Carmen, *Antonio Buero Vallejo: el hombre y su obra,* Eds. de la Universidad de Salamanca, Salamanca, 1979.

GRIMM, Reinhold, *Ein iberischer «Gegenentwurf»? Antonio Buero Vallejo, Brecht und das moderne Welttheater,* Wilhelm Fink Verlarg, Kopenhagen-München, 1991.

GUERRERO ZAMORA, Juan, *Historia del teatro contemporáneo,* Juan Flors, vol. IV, Barcelona, 1967.

HALSEY, Martha T., *Antonio Buero Vallejo,* Twayne, New York, 1973.

—, *From dictatorship to democracy: the recent plays of Buero Vallejo (from «La Fundación» to «Música cercana»),* Ottawa Hispanic Studies, Dovehouse Eds., Ottawa, Canadá, 1994.

HÄRTINGER, Heribert, *Oppositionstheater in der Diktatur. Spanienkritik im Werk des Dramatikers Antonio Buero Vallejo vor dem Hintergrund der franquistischen Zensur,* Gottfried Egert, Wilhelmsfeld, 1997.

HOLT, Marion P., *The Contemporary Spanish Theater (1949-1972),* Twayne, Boston, 1975.

HUERTA CALVO, JAVIER, *El teatro en el siglo XX,* Playor, Madrid, 1985.

IGLESIAS FEIJOO, Luis, *La trayectoria dramática de Antonio Buero Vallejo,* Eds. de la Universidad de Santiago, Santiago de Compostela, 1982.

LEYRA, Ana María (ed.), *Antonio Buero Vallejo. Literatura y Filosofía,* Editorial Complutense, Madrid, 1998.

LIMA, Robert, y ZATLIN, Phyllis (eds.), *Homenaje a Martha T. Halsey,* University Park, Estreno, Pennsylvania, 1995.

MARQUERÍE, Alfredo, *Veinte años de teatro en España,* Editora Nacional, Madrid, 1959.

MATHIAS, Julio, *Buero Vallejo,* Epesa, Madrid, 1975.

MIRA NOUSELLES, Alberto, *De silencios y espejos. Hacia una estética del teatro español contemporáneo,* Universidad, Valencia, 1996.

MOLERO MANGLANO, Luis, *Teatro español contemporáneo,* Editora Nacional, Madrid, 1974.

Montearabí, Yecla, 23, 1996 (monográfico).

MÜLLER, Rainer, *Antonio Buero Vallejo, Studien zum spanischen Nachkriegstheater,* Köln, Universidad, 1970.

NEUSCHÄFER, Hans Jörg: *Macht und Ohnmacht der Zensur: Literatur, Theater und Film in Spanien (1933-1976),* Sttutgart, 1991; trad. española: *Adiós a la España eterna. La dialéctica de la censura. Novela, teatro y cine bajo el franquismo,* Anthropos, Barcelona, 1994.

NEWMAN, Jean Cross, *Conciencia, culpa y trauma en el teatro de Antonio Buero Vallejo,* Albatros Hispanófila, Valencia, 1992.

NICHOLAS, Robert L., *The Tragic Stages of Antonio Buero Vallejo,* Estudios de Hispanófila, University of North Carolina, Valencia, 1972.

—, *El sainete serio,* Universidad, Cuadernos de Teatro, Murcia, 1992.

O'CONNOR, Patricia W., *Antonio Buero Vallejo en sus espejos,* Fundamentos, Madrid, 1996.

OLIVA, César, *El teatro desde 1936,* Alhambra, Madrid, 1989.

PACO, Mariano de (ed.), *Buero Vallejo. Cuarenta Años de Teatro,* CajaMurcia, Murcia, 1988.

—, *Estudios sobre Buero Vallejo,* Universidad, Murcia, 1984.

—, *De re bueriana (Sobre el autor y las obras),* Universidad, Murcia, 1994.

—, *Antonio Buero Vallejo en el teatro actual,* Escuela Superior de Arte Dramático, Murcia, 1998.

PAJÓN MECLOY, Enrique, *Buero Vallejo y el antihéroe,* Madrid, 1986.

—, *El teatro de A. Buero Vallejo: marginalidad e infinito,* Fundamentos, Madrid, 1991.

PEDRAZA JIMÉNEZ, Felipe B., y RODRÍGUEZ CÁCERES, Milagros, *Manual de literatura española. Vol. XIV: Posguerra: dramaturgos y ensayistas,* Cénlit, Pamplona, 1995, págs. 221-259.

PÉREZ MINIK, Domingo, *Teatro europeo contemporáneo,* Guadarrama, Madrid, 1961.

PÉREZ-STANSFIELD, María Pilar, *Direcciones de teatro español de posguerra: Ruptura con el teatro burgués y radicalismo contestatario,* José Porrúa Turanzas, Madrid, 1983.

PUENTE SAMANIEGO, Pilar de la, *A. Buero Vallejo. Proceso a la historia de España,* Eds. de la Universidad de Salamanca, Salamanca, 1980.

RAGUÉ-ARIAS, María-José, *El teatro de fin de milenio en España (De 1975 hasta hoy),* Ariel, Barcelona, 1996.

REBOLLO SÁNCHEZ, Félix, *Perspectivas actuales del teatro español (1900-1994),* Universidad Complutense, Madrid, 1994.

RICE, Mary, *Distancia e inmersión en el teatro de Buero Vallejo,* Peter Lang, New York, 1992.

RUGGERI MARCHETTI, Magda, *Il teatro di Antonio Buero Vallejo o il processo verso la verità,* Bulzoni, Roma, 1981.

—, *Studi sul teatro spagnolo del novecento,* Pitagora, Bologna, 1993, págs. 93-178.

RUIZ RAMÓN, Francisco, *Celebración y catarsis (Leer el teatro español),* Cuadernos de la Cátedra de Teatro de la Universidad de Murcia, Murcia, 1988.

—, *Estudios sobre teatro español clásico y contemporáneo,* Fundación Juan March-Cátedra, Madrid, 1978.

—, *Historia del teatro español. Siglo XX,* Cátedra, Madrid, 1975.

RUPLE, Joelyn, *Antonio Buero Vallejo (The first fifteen years),* Eliseo Torres and Sons, New York, 1971.

SALVAT, Ricard, *Teatre contemporani,* vol. II, Edicions 62, Barcelona, 1966.

SCHMIDHUBER, Guillermo, *Teatro e historia. Parangón entre Buero Vallejo y Usigli,* Gobierno del Estado de Nuevo León, Monterrey, México, 1992.

SORDO, Enrique, «El teatro español desde 1936 hasta 1966», en Guillermo Díaz-Plaja, ed., *Historia General de las Literaturas Hispánicas. VI. Literatura contemporánea,* Vergara, Barcelona, 1968.

TORRENTE BALLESTER, Gonzalo, *Teatro español contemporáneo,* Guadarrama, Madrid, 1957; 2.ª ed. [muy ampliada], 1968.

URBANO, Victoria, *El teatro español y sus directrices contemporáneas,* Editora Nacional, Madrid, 1972.

VERDÚ DE GREGORIO, Joaquín, *La luz y la oscuridad en el teatro de Buero Vallejo,* Ariel, Barcelona, 1977.

MONOGRAFÍAS Y ARTÍCULOS SOBRE *EL TRAGALUZ*[3]

ABUÍN GONZÁLEZ, Ángel, *El narrador en el teatro. La mediación como procedimiento en el discurso teatral del siglo XX,* Universidad, Santiago de Compostela, 1997.

AGGOR, F. Komla, «Derealizing the Present: Evasion and Madness in *El tragaluz», Revista Canadiense de Estudios Hispánicos,* XVIII, 1994, págs. 141-150.

ALSINA, Jean, «Le spectateur dans le dispositif dramatique: *El tragaluz* de Antonio Buero Vallejo -Regard, Histoire et Société», *Hispanistica XX,* 2, Université de Dijon, Dijon, 1984, págs. 123-139.

ARAGONÉS, Juan Emilio, *Veinte años de teatro español (1960-1980),* Society of Spanish and Spanish-American Studies, Boulder, Colorado, 1987, págs. 113-114.

AZNAR, Manuel, «Claves de lectura. *El tragaluz,* de Antonio Buero Vallejo», en José-Carlos Mainer y otros, *Literatura española contemporánea,* Santillana, Madrid, 1992, págs. 336-339.

BLUMENSTOCK, Gottlieb, «Antonio Buero Vallejo: Das Kellerfenster *(El tragaluz).* Eine Interpretation», *Die Neueren Sprachen,* LXX, 1971, págs. 602-612.

BROWN, Kenneth, «The Significance of Insanity in Four Plays by Antonio Buero Vallejo», *Revista de Estudios Hispánicos,* VIII, 1974, págs. 247-260.

CARDONA CASTRO, Ángeles, «Buero Vallejo y su obra teatral *El tragaluz», Historia y Vida,* 300, marzo de 1993, págs. 119-123.

---

[3] Se relacionan aquellos que tratan de la obra, aunque no sea de manera exclusiva. No se detallan los artículos sobre la obra incluidos en los monográficos citados en el apartado anterior, ni se incluyen las críticas del estreno.

CASA, Frank P., «The Problem of National Reconciliation in Buero Vallejo's *El tragaluz», Revista Hispánica Moderna,* XXXV, 1969, págs. 285-294.

CENTENO, Enrique, «A propósito de *El tragaluz», El Teatro Español,* 1, abril de 1986, págs. 34-35.

CHAMBORDON, Gabriela, «El conocimiento poético en el teatro de Antonio Buero Vallejo», *Cuadernos Hispanoamericanos,* LXXXV, 253-254, enero-febrero de 1971, págs. 52-98.

CHICHARRO, Dámaso, y SERRANO, Lucrecio, «Antonio Buero Vallejo y su universo trágico», en *Literatura española contemporánea (COU),* Júcar, Madrid, 1986, págs. 363-367.

CRUZ, Jacqueline, «Una investigación en torno a la memoria: *El tragaluz,* de Antonio Buero Vallejo», *Mester,* XIX, 1, 1990, págs. 39-48.

DIXON, Victor, «The "immersion-effect" in the plays of Antonio Buero Vallejo», en James Redmond (ed.), *Drama and mimesis,* Cambridge University Press, Cambridge, págs. 113-137; reimpreso en Mariano de Paco (ed.), *Estudios sobre Buero Vallejo,* cit.

DOMÉNECH, Ricardo, *«El tragaluz,* una tragedia de nuestro tiempo», *Cuadernos Hispanoamericanos,* 217, enero de 1968, págs. 124-136.

—, «A propósito de "El tragaluz"», *Cuadernos para el Diálogo,* 51, diciembre de 1967, págs. 40-41.

—, «Introducción» a su edición de la obra, cit.

DOMÍNGUEZ, Antonio José, *«El tragaluz» de Antonio Buero Vallejo,* Akal, col. Guías y Monografías, Madrid, 1989.

FERNÁNDEZ-SANTOS, Ángel, «El enigma de *El tragaluz», Primer Acto,* 90, noviembre de 1967, págs. 4-6.

FONSECA, Virginia de, «Sobre el teatro de Buero Vallejo. *El tragaluz* o los modos de vida», *Revista de la Universidad de Costa Rica,* diciembre de 1970 [no consultado].

FRANCOLÍ, Eduardo, «El tema de Caín y Abel en Unamuno y Buero Vallejo», *Romance Notes,* XIV, 1972, págs. 244-251.

FRIIS, Ronald J., *«Hoy ya no caemos en aquellos errores:* Mimetic Violence and Trascendence in Buero Vallejo's *El tragaluz», Romance Notes,* XXXIV, 1993, págs. 203-210.

GARCÍA BARRIENTOS, José Luis, «El teatro de Buero Vallejo», en Juan J. Amate y otros, *Curso de literatura española. Orientación Universitaria,* Alhambra, Madrid, 1978, págs. 252-269.

—, «Introducción» a su edición de la obra, cit.

—, «El espacio de *El tragaluz.* Significado y estructura», *Revista de Literatura,* LII, 104, 1990, págs. 487-504.

—, *Drama y tiempo. Dramatología I,* Madrid, Consejo Superior de Investigaciones Científicas, 1991, págs. 168-169 y 180.

GUTIÉRREZ, Fabián, *El tragaluz. A. Buero Vallejo,* Alborada, col. Cuadernos Clásicos de la Cultura, Madrid, 1989.

—, «El espacio y el tiempo teatrales: propuesta de acercamiento semiótico», *Tropelías,* 1, 1990 [pero 1992], págs. 135-149 (incorporado en lo sustancial a su libro *Teoría y praxis de semiótica teatral,* Universidad, Valladolid, 1993).

HAVERBECK O., Erwin, «Aproximaciones al teatro de Buero Vallejo», *Stylo,* Universidad Católica de Chile, Ediciones Universitarias de la Frontera, 10, Temuco, Chile, 1970, págs. 25-87.

ISASI ANGULO, A. Carlos, «Hacia una nueva interpretación del teatro de Antonio Buero Vallejo», *Iberorromania,* 2, 1975, págs. 115-135.

JIMÉNEZ-VERA, Arturo: «La sociedad española vista a través de *El tragaluz* de Antonio Buero Vallejo», *Hispanófila,* 81, 1984, págs. 35-42.

KRONIK, John W., «Buero Vallejo's *El tragaluz* and Man's Existence in History», *Hispanic Review,* 41, 1973, págs. 371-396.

LARUBIA PRADO, Francisco, *«El tragaluz* de Buero Vallejo: el artista como arquitecto del futuro», *Boletín de la Biblioteca Menéndez Pelayo,* LXV, 1989, págs. 317-335.

MARÍN MARTÍNEZ, Juan María, «Estudio monográfico de *El tragaluz»,* en Juan María Marín Martínez y otros, *Literatura,* Luis Vives, Zaragoza, 1987, págs. 163-168.

MARTÍNEZ LACALLE, Guadalupe, «De la influencia de Unamuno en *El tragaluz,* de Antonio Buero Vallejo», *Belfast Spanish and Portuguese Papers,* 1979, págs. 95-110.

MARTÍNEZ THOMAS, Monique, «El *didascalos* escenógrafo: *El tragaluz* de Antonio Buero Vallejo», *Gestos,* 23, 1997, págs. 67-84.

MCSORLEY, Bonnie Shannon, «Buero Vallejo's *Mito* and *El tragaluz:* The Twilight Zone of Hope», *Science-Fiction Studies,* 10, 1983, págs. 81-86.

—, *Historia de una escalera* and *El tragaluz:* Twenty Years and One Reality», *Modern Language Studies,* X, 1979-1980, págs. 69-74.

MOLINA, Ida, «Dialectics of the Search for Truth in *El otro* and in *El tragaluz», Romanistisches Jahrbuch,* XXIV, 1973, págs. 323-329.

—, «Note on the Dialectics of the Search for Truth in *El otro* and in *El tragaluz», Romance Notes,* XIV, 1972, págs. 23-26.

—, *«Vita activa* and *vita contemplativa:* Buero Vallejo's *El tragaluz* and Hermann Hesse's *Magister Ludi», Hispanófila,* 53, 1975, págs. 41-48.

MONTERO, Isaac, *«El tragaluz,* de Antonio Buero Vallejo», *Nuevos Horizontes,* 3-4, 1968, págs. 28-40.

MOON, Harold K., «Religious Tradition and Antonio Buero Vallejo», en Gilbert Paolini (ed.), *La Chispa '87. Selected Proceedings,* Tulane University, New Orleans, 1987, págs. 177-186.

NONOYAMA, Minako, «La personalidad en los dramas de Buero Vallejo y de Unamuno», *Hispanófila,* 49, 1973, págs. 69-78.

OSUNA, José: «Las dificultades de mi puesta en escena», *Primer Acto,* 90, noviembre de 1967, págs. 16-19.

—, «Mi colaboración con Buero», en Mariano de Paco (ed.), *Buero Vallejo (Cuarenta Años de teatro),* cit., págs. 55-59.

PACO, Mariano de, «Orientaciones para la lectura y análisis de *El tragaluz»,* en M. de Paco (ed.), *Literatura española del siglo XX,* Marfil, Alcoy, 1978, págs. 195-197.

PENNINGTON, Eric, «Antonio Buero Vallejo's Use of Biblical Archetypes», *Notes on Contemporary Literature,* X, 4, 1989, pág. 12.

PENNINGTON, Eric, «Buero Vallejo: Spain's History and the Bible», en *The Writer and the Past: Proceedings of the 1980 Symposium of the Literature Circle of the Department of Foreign Languages,* Indiana State University, Terre Haute, Indiana, 1981, págs. 99-103.

—, «*El misterio de Elche* in *El tragaluz:* A Case of Subtle Foreshadowing», *Cuadernos de ALDEEU,* I, 1, 1983, págs. 83-89.

—, «Life, Death, and Love in *El tragaluz», Ulula,* 2, 1986, págs. 29-40.

—, «Psychology and Symbolism in the Death of Vicente in Buero Vallejo's *El tragaluz», Journal of the School of Languages,* 7, 1-2, 1980, págs. 141-156 [no consultado].

—, «The Forgotten *Muñeco* of *El tragaluz», Ulula,* 2, 1986, págs. 117-124.

POLANSKY, Susan G., «Provocation to Audience Response: Narrators in the Plays of Antonio Buero Vallejo», *Letras Peninsulares,* 1, 2, 1988, págs. 200-223.

QUINTO, José María de, «Crónica de teatro. *El tragaluz,* de Buero Vallejo», *Ínsula,* 252, noviembre de 1967, págs. 15-16 incluido en su libro.

—, *Crítica teatral de los sesenta,* Murcia, Universidad, 1997, págs. 72-83.

RODRÍGUEZ CELADA, Antonio, «*El tragaluz* (1967) y *The Price* (1968) o el estudio psicológico del mito cainita invertido», *Studia Zamorensia,* 3, 1982, págs. 539-549.

RUANO SÁNCHEZ, Víctor, «Algunas diferencias y puntos de contacto entre *El tragaluz* de A. Buero Vallejo, y *Un mundo feliz,* de A. Huxley», *Residencia,* Universidad de Extremadura, Departamento de Literatura Española, núms. 7-8, Cáceres, 1983, págs. 81-89.

SCHRADER, Ludwig, «Buero Vallejo y Unamuno», *Actas del Séptimo Congreso de la Asociación Internacional de Hispanistas,* Bulzoni, Roma, 1982, vol. II, págs. 945-951.

SERRA MARTÍNEZ, Elías, y OTÓN SOBRINO, Alberto, *Introducción a la literatura española contemporánea a través del comentario de textos,* Edinumen, 1983; 2.ª ed. aumentada, Madrid, 1986, págs. 223-234.

SIGUÁN, J., «El teatro de Buero Vallejo», *Arbor,* CXI, 433, enero de 1982, págs. 85-99.

SIKKA, Linda Sollish, «Buero's Women: Structural Agents and moral Guides», *Estreno,* XVI, 1, 1990, págs. 18-22 y 31.

—, «Cain, Mario and Me: Interrelatedness in *El tragaluz», Estreno,* XVI, 2, 1990, págs. 29-32.

TRAPERO LLOBERA, Patricia, *«El tragaluz». Antonio Buero Vallejo,* Monograma Eds., col. Guías de Lectura, 3, Palma de Mallorca, 1995.

TUSÓN, Vicente, y LÁZARO, Fernando, «Buero Vallejo y *El tragaluz»,* en *Literatura Siglo XX COU,* Anaya, Madrid, 1989, págs. 371-386.

WEISS, Gerard R., «Buero Vallejo's Theory of Tragedy in *El tragaluz», Revista de Estudios Hispánicos,* V, 1971, págs. 147-160.

ZATLIN-BORING, Phyllis, «Expressionism in the Contemporary Spanish Theatre», *Modern Drama,* XXVI, 1983, págs. 555-569.

EL TRAGALUZ

(EXPERIMENTO EN DOS PARTES)

Esta obra se estrenó la noche del 7 de octubre de 1967, en el Teatro Bellas Artes, de Madrid, con el siguiente

REPARTO

(Por orden de intervención)

ELLA	Carmen Fortuny
ÉL	Sergio Vidal
ENCARNA	Lola Cardona
VICENTE	Jesús Puente
EL PADRE	Francisco Pierrá
MARIO	José María Rodero
LA MADRE	Amparo Martí
ESQUINERA (no habla) ...	Mari Merche Abreu
CAMARERO (no habla) ...	Norberto Minuesa
VOCES Y SOMBRAS DE LA CALLE	

Derecha e izquierda, las del espectador

Dirección escénica: JOSÉ OSUNA
Decorado: SIGFRIDO BURMAN

NOTA: Los fragmentos encerrados entre corchetes fueron suprimidos en las representaciones.

PARTE PRIMERA

El experimento suscita sobre el espacio escénico la impresión, a veces vaga, de los lugares que a continuación se describen.

El cuarto de estar de una modesta vivienda instalada en un semisótano ocupa la escena en sus dos tercios derechos. En su pared derecha hay una puerta. En el fondo, corto pasillo que conduce a la puerta de entrada a la vivienda. Cuando ésta se abre, se divisa la claridad del zaguán. En la pared derecha de este pasillo está la puerta del dormitorio de los padres. En la de la izquierda, la puerta de la cocina.

La pared izquierda del cuarto de estar no se ve completa: sólo sube hasta el borde superior de la del fondo, en el ángulo que forma con ella, mediante una estrecha faja, y en su parte inferior se extiende hacia el frente formando un rectángulo de metro y medio de alto.

Los muebles son escasos, baratos y viejos. Hacia la izquierda hay una mesa camilla pequeña, rodeada de dos o tres sillas. En el primer término de la derecha, silla contra la pared y, ante ella, una mesita baja. En el rectángulo inferior de la pared izquierda, un vetusto sofá. Algunas sillas más por los rincones. En el paño derecho del fondo, una cómoda. La jarra de agua, los vasos, el frutero y el cestillo del pan que sobre ella descansan muestran que también sirve de aparador. Sobre la mesita de la derecha hay papeles, un cenicero y algún libro. Por las paredes, clavados con chinchetas, retratos de artistas y escritores recortados de revistas, postales de obras de arte y reproducciones de cuadros famosos arrancadas asimismo de revistas, alternan con algunos viejos retratos de familia.

El amplio tragaluz que, al nivel de la calle, ilumina el semisótano, es invisible: se encuentra en la cuarta pared [1] y, cuando los personajes miman el ademán [2] de abrirlo, proyecta sobre la estancia la sombra de su reja.

El tercio izquierdo de la escena lo ocupa un bloque cuyo lado derecho está formado por el rectángulo inferior de la pared izquierda del cuarto de estar. Sobre este bloque se halla una oficina. La única pared que de ella se ve con claridad es la del fondo, que forma ángulo recto con la estrecha faja de pared que, en el cuarto de estar, sube hasta su completa altura. En la derecha de esta pared y en posición fron-

---

[1] *cuarta pared:* «Convención puesta de moda por el naturalismo, por la cual el arco del proscenio representa la cuarta pared de la habitación donde se mueven los personajes» (Rafael Portillo-Jesús Casado, *Abecedario del teatro,* Madrid, Centro de Documentación Teatral, 1988, pág. 49). Más allá del teatro naturalista, el término sirve para designar sin más el espacio sobre el proscenio. Véase también Patrice pavis, *Dictionnaire du Théâtre,* París, Editions Sociales, 1980, pág. 315, *s.v.* «quatrième mur». El director del estreno, José Osuna, «Mi colaboración con Buero», pág. 58, afirma que el autor asumió «sugerencias como fueron por ejemplo desistir de su idea original de que el tragaluz estuviera en la pared del fondo lo cual obligaba a que las escenas más importantes se hicieran trucadas o de espaldas al público y aceptar la idea que le propuse de colocar el tragaluz en la cuarta pared para que los actores miraran al público»; Buero Vallejo me ha aclarado, sin embargo, que desde muy pronto pensó en ubicar el tragaluz en la cuarta pared y así figuró desde la primera redacción de la obra.

[2] *miman el ademán:* imitan la acción de abrir el tragaluz.

tal, mesa de despacho y sillón. En la izquierda y contra el fondo, un archivador. Entre ambos muebles, la puerta de entrada. En el primer término izquierdo de la oficina y de perfil, mesita con máquina de escribir y silla. En la pared del fondo y sobre el sillón, un cartel de propaganda editorial en el que se lee claramente *Nueva Literatura* y donde se advierten textos más confusos entre fotografías de libros y de escritores; algunas de estas cabezas son idénticas a otras de las que adornan el cuarto de estar.

Ante la cara frontal del bloque que sostiene la oficina, el velador de un cafetín con dos sillas de terraza. Al otro lado de la escena y formando ángulo con la pared derecha del cuarto de estar, la faja frontal, roñosa y desconchada, de un muro callejero [3].

Por la derecha e izquierda del primer término, espacio para entradas y salidas.

En la estructura general no se advierten las techumbres; una extraña degradación de la luz o de la materia misma vuelve imprecisa la intersección de los lugares descritos; sus formas se presentan, a menudo, borrosas y vibrátiles.

---

[3] A diferencia de lo que ocurre en las obras anteriores a 1958, en las que se utiliza un espacio escénico realista tradicional que imita en cada caso un solo lugar, a partir de *Un soñador para un pueblo* Buero emplea el escenario simultáneo, esto es, un espacio que condensa lugares que en la realidad no son contiguos. En el estreno de 1967, el director alteró un poco lo previsto en las indicaciones del autor, para transmitir la necesaria sensación de irrealidad que debe tener la historia situada en un pasado remoto y recuperada por los investigadores: «se construyó un plano inclinado con un veinte por ciento de desnivel, sobre el que se movieran los personajes. (El desnivel normal de un escenario no pasa nunca de un cinco por ciento). Este plano inclinado debería, además, estar rodeado de otros más altos que acentuaran esa sensación de pozo a la que tan insistentemente se refiere el texto» (José Osuna, «Las dificultades de mi puesta en escena», pág. 17).

La luz que ilumina a la pareja de investigadores es siempre blanca y normal. Las sucesivas iluminaciones de las diversas escenas y lugares crean, por el contrario, constantes efectos de lividez e irrealidad.

(Apagadas las luces de la sala, entra por el fondo de la misma ELLA *y* ÉL[4]: *una joven pareja vestida con extrañas ropas, propias del siglo a que pertenecen. Un foco los ilumina. Sus movimientos son pausados y elásticos. Se acercan a la escena, se detienen, se vuelven y miran a los espectadores durante unos segundos. Luego hablan, con altas y tranquilas voces.)*

ELLA.—Bien venidos. Gracias por haber querido presenciar nuestro experimento.

ÉL.—Ignoramos si el que nos ha correspondido [realizar] a nosotros dos os parecerá interesante.

ELLA.—Para nosotros lo ha sido en alto grado. *(Mira, sonriente, a su pareja.)* ¿Se decía entonces «en alto grado»?

ÉL.—Sí. *(A los espectadores.)* La pregunta de mi compañera tiene su motivo. Os extrañará nuestro tosco modo de hablar, nuevo en estas experiencias. El Consejo ha dispuesto que los experimentadores usemos el léxico del tiempo que se revive. Os hablamos, por ello, al modo del siglo veinte, y

---

[4] La aparición de personajes a través del patio de butacas, conocida al menos desde Pirandello en el teatro contemporáneo, supone la ruptura de las barreras entre escena y público e impone una relación diferente de éste con el espectáculo teatral. Buero ya había planteado una quiebra de los modos del realismo convencional en *La doble historia del doctor Valmy,* escrita antes de *El tragaluz,* pero que no había podido estrenar; en ella también aparecen dos personajes, esta vez en escena, y se dirigen directamente a los espectadores antes de que se levante el telón.

en concreto, conforme al lenguaje de la segunda mitad de aquel siglo, ya tan remoto[5]. *(Suben los dos a la escena por una escalerilla y se vuelven de nuevo hacia los espectadores.)* Mi compañera y yo creemos haber sido muy afortunados al realizar este experimento [por una razón excepcional]: la historia que hemos logrado rescatar del pasado nos da, explícita ya en aquel [lejano] tiempo, *la pregunta.*

ELLA.—Como sabéis, *la pregunta* casi nunca se encuentra en las historias de las más diversas épocas que han reconstruido nuestros detectores. En la presente historia la encontraréis formulada del modo más sorprendente.

ÉL.—Quien la formula no es una personalidad notable, [nadie de quien guardemos memoria]. Es un ser oscuro y enfermo.

ELLA.—La historia es, como tantas otras, oscura y singular, pues hace siglos que comprendimos de nuevo la importancia... *(A su pareja.)* ¿Infinita?

ÉL.—Infinita.

ELLA.—La importancia infinita del caso singular. Cuando estos fantasmas vivieron solía decirse que la mirada a los árboles impedía ver el bosque. Y durante largas etapas llegó a olvidarse que también debemos mirar a un árbol tras otro para que nuestra visión del bosque [..., como entonces se decía...,] no se deshumanice. Finalmente, los hombres hubieron de aprenderlo para no sucumbir, y ya no lo olvidaron.

---

[5] Desde el principio de la obra queda claramente establecido el juego temporal en que se basa: el presente es, para el público real, un futuro muy lejano, desde el que cabe decir que el siglo XX es «tan remoto». El espectador se encuentra con que su tiempo se le ha convertido en pasado, pero a la vez, dado que le interpelan como hombre de ese siglo futuro, se le otorga un papel en la ficción, el de contemplador del «experimento» que Ella y Él llevan a cabo. Queda así despojado de su identidad, de su tiempo, hasta de su lenguaje, definido como «tosco modo de hablar».

(ÉL *levanta una mano, mirando al fondo y a los lados de la sala. Oscilantes ráfagas de luz iluminan a la pareja y al telón.)*

ÉL.—Como los sonidos son irrecuperables, los diálogos se han restablecido mediante el movimiento de los labios y añadido artificialmente. Cuando las figuras se presentaban de espaldas [o su visualidad no era clara], los calculadores electrónicos... *(A su pareja.)* ¿Se llamaban así [entonces]?

ELLA.—Y también computadores, o cerebros.

ÉL.—Los calculadores electrónicos han deducido las palabras no observables. Los ruidos naturales han sido agregados asimismo.

ELLA.—Algunas palabras procedentes del tragaluz se han inferido igualmente mediante los cerebros electrónicos.

ÉL.—Pero su condición de fenómeno real es, ya lo comprenderéis, más dudosa.

ELLA.—*(Su mano recomienda paciencia.)* Ya lo comprenderéis...

ÉL.—Oiréis además, en algunos momentos, un ruido extraño. [No pertenece al experimento y] es el único sonido que nos hemos permitido incluir por cuenta propia.

ELLA.—Es el ruido de aquella desaparecida forma de locomoción llamada ferrocarril [y lo hemos recogido de una grabación antigua.] Lo utilizamos para expresar escondidas inquietudes que, a nuestro juicio, debían destacarse. Oiréis, pues, un tren; o sea un pensamiento[6].

---

[6] Las últimas intervenciones son importantes para establecer el grado de ambigüedad que reina en la obra: todas las palabras son un añadido de los investigadores, lo mismo que los sonidos. Resulta, por tanto, imposible saber si algunos sucesos son proyección del pensamiento de un personaje o escenas «reales»; del mismo modo, el ruido del tren es también signo y símbolo de una obsesión: el acto oculto en el pasado.

(El telón se alza. En la oficina, sentada a la máquina, ENCARNA. VICENTE *la mira, con un papel en la mano, sentado tras la mesa de despacho. En el cuarto de estar* EL PADRE *se encuentra sentado a la mesa, con unas tijeras en la mano y una vieja revista ante él; sentado a la mesita de la derecha, con un bolígrafo en la mano y pruebas de imprenta ante sí,* MARIO. *Los cuatro están inmóviles. Ráfagas de luz oscilan sobre ambos lugares.)*

ÉL.—Como base de la experiencia, unos pocos lugares que los proyectores espaciales mantendrán simultáneamente visibles, [aunque no siempre con igual nitidez.] *(Señala a la escena.)* En este momento trabajan a rendimiento mínimo y las figuras parecen inmóviles; actuarán a ritmo normal cuando les llegue su turno. [Os rogamos atención: el primer grupo de proyectores está llegando al punto idóneo...] *(Las ráfagas de luz fueron desapareciendo. En la oficina se amortigua la vibración luminosa y crece una viva luz diurna. El resto de la escena permanece en penumbra.* ENCARNA *empieza, muy despacio, a teclear sobre la máquina.)* La historia sucedió en Madrid, capital que fue de una antigua nación llamada España.

ELLA.—Es la historia de unos pocos árboles, ya muertos, en un bosque inmenso.

(ÉL *y* ELLA *salen por ambos laterales. El ritmo del tecleo se vuelve normal, pero la mecanógrafa no parece muy rápida ni muy segura. En la penumbra del cuarto de estar* EL PADRE *y* MARIO *se mueven de tanto en tanto muy lentamente.* ENCARNA *copia un papel que tiene al lado. Cuenta unos veinticinco años y su físico es vulgar, aunque no carece de encanto. Sus ropas, sencillas y pobres.* VICENTE *parece tener unos cuarenta o cuarenta y un años. Es hombre apuesto y de risueña fisonomía. Viste cuidada y buena ropa de diario. En su izquierda, un grueso anillo de oro.* ENCARNA *se detiene, mira perpleja a* VICENTE, *que le sonríe, y vuelve a teclear.)*

ENCARNA.—Creo que ya me ha salido bien.
VICENTE.—Me alegro.

(ENCARNA *teclea con ardor unos segundos. Suena el teléfono.)*

ENCARNA.—¿Lo tomo?
VICENTE.—Yo lo haré. *(Descuelga.)* Diga... Hola, Juan. *(Tapa el micrófono.)* Sigue, Encarnita. No me molestas. (ENCARNA *vuelve a teclear.)* ¿Los membretes? Mientras no se firme la escritura no debemos alterar el nombre de la Editora... ¿Cómo? Creí que aún teníamos una semana [por delante... Claro que asistiré.] (ENCARNA *saca los papeles del carro.)* ¡No he de alegrarme, [hombre!] Ahora sí que vamos a navegar con viento de popa!... No. De la nueva colección, el de más venta es el de Eugenio Beltrán, y ya hemos contratado para él tres traducciones... Naturalmente: la otra novela de Beltrán pasa a la imprenta en seguida. Pasado mañana nos firma el contrato. Aún no la he mandado porque la estaba leyendo Encarnita. [*(Sonríe.)* Es un escritor a quien también ella admira mucho...] *(Se lleva una sorpresa mayúscula.)* ¿Qué dices?... ¡Te atiendo, te atiendo! *(Frunce las cejas, disgustado.)* Sí, sí. Comprendo... Pero escucha...

¡Escucha, hombre!... ¡Que me escuches, te digo! Hay una serie de problemas que... Espera. *(Tapa el micrófono.)* Oye, Encarnita: ¿me has reunido las revistas y las postales?

ENCARNA.—Es cosa de un momento.

VICENTE.—Hazlo ya, ¿quieres? *(Mira su reloj.)* Nos vamos en seguida; ya es la hora.

ENCARNA.—Bueno.

(Sale por el fondo.)

VICENTE.—*(Al teléfono.)* Escucha, Juan. Una cosa es que el grupo entrante intervenga en el negocio y otra muy distinta que trate de imponernos sus fobias literarias, o políticas, o lo que sean. [No creo que debamos permitir...] ¡Sabes muy bien a qué me refiero!... ¿Cómo que no lo sabes? ¡Sabes de sobra que se la tienen jurada a Eugenio Beltrán, [que lo han atacado por escrito, que...] *(Se exalta.)* ¡Juan, hay contratos vigentes, y otros en puertas!... ¡Atiende, hombre!... *(De mala gana.)* Sí, sí, te oigo... *(Su cara se demuda; su tono se vuelve suave.)* No comprendo por qué llevas la cuestión a ese terreno... Ya sé que no hay nadie insustituible, y yo no pretendo serlo... Por supuesto: la entrada del nuevo grupo me interesa tanto como a ti... *(Escucha, sombrío.)* Conforme... *(Da una iracunda palmada sobre la mesa.)* ¡Pues tú dirás lo que hacemos!... [¡A ver! ¡Tú mandas!...] Está bien: ya pensaré lo que le digo a Beltrán. [Pero ¿qué hacemos si hay nuevas peticiones de traducción?... Pues también torearé ese toro, sí, señor...] *(Amargo.)* Comprendido, Juan. ¡Ha muerto Beltrán, viva la Editora!... ¡Ah, no! En eso te equivocas. Beltrán me gusta, pero admito que se está anquilosando... Una lástima. (ENCARNA *vuelve con un rimero de revistas ilustradas, postales y un sobre. Lo pone todo sobre la mesa. Se miran. El tono de* VICENTE *se vuelve firme y terminante.)* Comparto tu criterio; puedes estar seguro. No estamos solo para ganar cuartos [como tenderos], sino para velar por la nueva literatura... Pues siempre a tus órdenes... Hasta mañana. *(Cuelga y se queda pensativo.)* Mañana se firma la nueva escritura, Encarna. El grupo que entra aporta buenos dineros. Todo va a mejorar, y mucho.

ENCARNA.—¿Cambiaréis personal?

VICENTE.—De aquí no te mueves, ya te lo he dicho.

ENCARNA.—Ahora van a mandar otros tanto como tú... [Y no les gustará mi trabajo.

VICENTE.—Yo lo defenderé.

ENCARNA].—Suponte que te ordenan echarme...

[VICENTE.—No lo harán.

ENCARNA.—¿Y si lo hacen?]

VICENTE.—Ya te encontraría yo otro agujero.

ENCARNA.—*(Con tono de decepción.)* ¿Otra... oficina?

VICENTE.—¿Por qué no?

ENCARNA.—*(Después de un momento.)* ¿Para que me acueste con otro jefe?

VICENTE.—*(Seco.)* Puedo colocarte sin necesidad de eso. Tengo amigos.

ENCARNA.—Que también me echarán.

VICENTE.—*(Suspira y examina sus papeles.)* Tonterías. No vas a salir de aquí. *(Consulta su reloj.)* ¿Terminaste la carta?

ENCARNA.—*(Suspira.)* Sí.

(Va a la máquina, recoge la carta y se la lleva. Él la repasa.)

VICENTE.—¡Mujer!

(Toma un lápiz rojo.)

ENCARNA.—*(Asustada.)* ¡«Espléndido» es con «ese»! ¡Estoy segura!

VICENTE.—Y «expontáneo» también.

ENCARNA.—¿Espontáneo?

VICENTE.—Como tú lo dices es con equis, pero lo dices mal.

(Tacha con el lápiz.)

[ENCARNA.—*(Cabizbaja.)* No valgo.

VICENTE.—Sí que vales. *(Se levanta y le toma la barbilla.)* A pesar de todo, progresas.]

ENCARNA.—*(Humilde.)* ¿La vuelvo a escribir?

VICENTE.—[Déjala para] mañana. ¿Terminaste la novela de Beltrán?

ENCARNA.—Te la dejé aquí.

(Va al archivador y recoge un libreto que hay encima, llevándoselo.)

VICENTE.—*(Lo hojea.)* Te habrá parecido... espléndida.

ENCARNA.—Sí... Con «ese».

[VICENTE.—Te has emocionado, has llorado...

ENCARNA.—Sí.]

VICENTE.—No me sorprende. Peca de ternurista.

ENCARNA.—Pero... si te gustaba...

VICENTE.—[Y me gusta.] Él es de lo mejor que tenemos. Pero en esta última se ha excedido. *(Se sienta y guarda el libreto en un cajón de la mesa.)* La literatura es faena difícil, Encarnita. Hay que pintar la vida, pero sin su trivialidad. [Y la vida es trivial. ¡Afortunadamente!] *(Se dispone a tomar el rimero*[7] *de revistas.)* [Las postales, las revistas...] *(Toma el sobre.)* Esto ¿qué es?

---

[7] *rimero:* «Montón de cosas puestas unas sobre otras».

ENCARNA.—Pruebas para tu hermano.

VICENTE.—¡Ah, sí! Espera un minuto. Quiero repasar uno de los artículos del próximo número. *(Saca las pruebas.)* [Aquí está.] (ENCARNA *se sienta en su silla.)* Sí, Encarnita. La literatura es difícil. Beltrán, por ejemplo, escribe a menudo: «Fulana piensa esto, o lo otro...». Un recurso muy gastado[8]. *(Por la prueba.)* Pero este idiota lo elogia... Sólo puede justificarse cuando un personaje le pregunta a otro: «¿En qué piensas?»... *(Ella lo mira, cavilosa[9]. Él se concentra en la lectura. Ella deja de mirarlo y se abstrae. El primer término se iluminó poco a poco. Entra por la derecha una golfa, cruza y se acerca al velador del cafetín. Tiene el inequívoco aspecto de una prostituta barata y ronda ya los cuarenta años. Se sienta al velador, saca de su bolso una cajetilla y extrae un pitillo. Un camarero flaco y entrado en años aparece por el lateral izquierdo y, con gesto cansado, deniega con la cabeza y con un dedo, indicando a la esquinera[10] que se vaya. Ella lo mira con zumba y extiende las manos hacia la mesa, como si dijese: «¡Quiero tomar algo!». El* CAMARERO *vuelve a denegar y*

---

[8] Vicente hace referencia a la novela de tipo tradicional, que suele emplear un narrador omnisciente, que conoce y transcribe los pensamientos de los personajes. Su propuesta inmediata alude a la preferencia por un narrador objetivo y externo, que sólo cuenta lo que los personajes hacen y dicen, típico de la novela conductista y objetivista. En España, este último procedimiento era propuesto como propio de nuestro tiempo por José María Castellet en *La hora del lector,* Barcelona, 1957, y por Juan Goytisolo en *Problemas de la novela,* Barcelona, 1959, ambos a la zaga de las ideas expuestas por Claude-Edmonde Magny en *L'âge du roman américain,* París, 1947. Sus tesis influyeron en muchas novelas de temática social, aunque esta técnica estaba haciendo crisis precisamente en los años en que se estrena *El tragaluz.*

[9] *cavilosa:* pensativa, preocupada.

[10] *esquinera:* prostituta callejera.

torna a indicar, calmoso, que se vaya. Cruza luego hacia la derecha, se detiene y, aburrida, se recuesta en la desconchada pared. VICENTE *levanta la vista y mira a* ENCARNA.) Y tú, ¿en qué piensas? *(Abstraída,* ENCARNA *no responde.)* ¿Eh?... (ENCARNA *no le oye. Con risueña curiosidad,* VICENTE *enciende un cigarrillo sin dejar de observarla. Con un mudo «¡Hale!» y un ademán más enérgico, el* CAMARERO *conmina a la prostituta a que se aleje. Con un mudo «¡Ah!» de desprecio, sale ella por el lateral derecho. El* CAMARERO *pasa el paño por el velador y sale por el lateral izquierdo. La luz del primer término se amortigua un tanto. Irónico,* VICENTE *interpela a* ENCARNA.) ¿En qué piensas..., Fulana? [11].

ENCARNA.—*(Se sobresalta.)* ¿Fulana?

VICENTE.—Ahora sí eras un personaje de novela. Algo pensabas.

ENCARNA.—Nada...

VICENTE.—¿Cenamos juntos?

(Vuelve a leer en la prueba.)

ENCARNA.—Ya sabes que los jueves y viernes ceno con esa amiga de mi pueblo.

VICENTE.—Cierto. Hoy es jueves. Recuérdame mañana que llame a Moreno. Urge pedirle un artículo para el próximo número.

---

[11] Ricardo Doménech ha explicado bien en su edición cómo las últimas palabras de Vicente enlazan con el ejemplo que exponía antes acerca de la novela de Beltrán: «"Fulana piensa esto, o lo otro..."», que a su juicio deberían ser sustituidas por la pregunta de un personaje: «"¿En qué piensas?"...»; a la vez, ello permite subrayar las preocupaciones de la abstraída Encarna.

[ENCARNA.—¿No estaba ya completo?
VICENTE.]—Éste no sirve.

(Separa la prueba que leía y se la guarda.)

ENCARNA.—*(Mientras cubre la máquina.)* ¿Cuál es?
VICENTE.—El de Torres.
ENCARNA.—¿Sobre Eugenio Beltrán?
VICENTE.—Sí. *(Se levanta.)* ¿Te acerco?
ENCARNA.—No. ¿Vas a casa de tus padres?
VICENTE.—Con toda esta broza[12]. *(Golpea sobre el montón de revistas y toma, risueño, las postales.)* Esta postal le gustará a mi padre. Se ve a la gente andando por la calle y eso le encanta. *(Examina las postales. El cuarto de estar se iluminó poco a poco con luz diurna. Los movimientos de sus ocupantes se han normalizado.* EL PADRE, *sentado a la mesa, recorta algo de una vieja revista. Es un anciano de blancos cabellos que representa más de setenta y cinco años. Su hijo* MARIO, *de unos treinta y cinco años, corrige pruebas. Ambos visten con desaliño y pobreza.* EL PADRE, *un traje muy usado y una vieja bata; el hijo, pantalones oscuros y jersey.* VICENTE *se recuesta en el borde de la mesa.)* [Debería ir más a menudo a visitarlos, pero estoy tan ocupado... Ellos, en cambio, tienen poco que hacer. No han sabido salir de aquel pozo...] Menos mal que el viejo se ha vuelto divertido. *(Ríe, mientras mira las postales.)* ¿Te conté lo del cura?
ENCARNA.—No.
VICENTE.—Se encontró un día con el cura de la parroquia, que iba acompañado de una feligresa. Y le pregunta mi padre, muy cumplido: ¿Esta mujer es su señora? *(Ríen.)*

---

[12] *broza:* «Desecho o desperdicio de alguna cosa».

Iba con el señor Anselmo, que le da mucha compañía, pero que nunca le discute nada.

ENCARNA.—Pero... ¿está loco?

VICENTE.—No es locura, es vejez. [Una cosa muy corriente:] arterioesclerosis. Ahora estará más sujeto en casa: les regalé la televisión el mes pasado. *(Ríe.)* [Habrá que oír las cosas que dirá el viejo.] *(Tira una postal sobre la mesa.)* Esta postal no le gustará. No se ve gente.

(Se abstrae. Se oye el ruido de un tren remoto, que arranca, pita y gana rápidamente velocidad. Su fragor crece y suena con fuerza durante unos segundos[13]*. Cuando se amortigua,* EL PADRE *habla en el cuarto de estar. Poco después se extingue el ruido en una ilusoria lejanía.)*

EL PADRE.—*(Exhibe un monigote que acaba de recortar.)* Éste también puede subir.

(MARIO *interrumpe su trabajo y lo mira.)*

MARIO.—¿Adónde?

EL PADRE.—Al tren.

MARIO.—¿A qué tren?

EL PADRE.—*(Señala al frente.)* A ése.

MARIO.—Eso es un tragaluz.

EL PADRE.—Tú qué sabes...

(Hojea la revista.)

---

[13] «Oiréis, pues, un tren; o sea un pensamiento», han dicho los investigadores al principio. El sonido revela aquí el escondido recuerdo de Vicente, pero a la vez, en forma similar a lo que en el cine es el fundido sonoro, funciona como engarce con la escena siguiente, en la que El padre comienza hablando precisamente del tren.

ENCARNA.—*(Desconcertada por el silencio de* VICENTE.) ¿No nos vamos?

(Abstraído, VICENTE *no contesta. Ella lo mira con curiosidad.)*

MARIO.—*(Que no ha dejado de mirar a su padre.)* Hoy vendrá Vicente.

EL PADRE.—¿Qué Vicente?

MARIO.—¿No tiene usted un hijo que se llama Vicente?[14].

EL PADRE.—Sí. El mayor. No sé si vive.

MARIO.—Viene todos los meses.

EL PADRE.—Y tú, ¿quién eres?

MARIO.—Mario.

EL PADRE.—¿Tú te llamas como mi hijo?

MARIO.—Soy tu hijo.

EL PADRE.—Mario era más pequeño.

MARIO.—He crecido.

EL PADRE.—Entonces subirás mejor.

MARIO.—¿Adónde?

EL PADRE.—Al tren.

(Comienza a recortar otra figura. MARIO *lo mira, intrigado, y luego vuelve a su trabajo.)*

VICENTE.—*(Reacciona y coge el mazo de revistas.)* ¿Nos vamos?

---

[14] Tanto Mario como Vicente tratan a su padre de «usted», fórmula de respeto que comenzaba ya a ser poco frecuente en los medios urbanos por los años en que se educaron ambos personajes (Mario nació en 1929 y su hermano es un poco mayor); en cambio, de acuerdo con la práctica habitual en muchas familias, en las que se intimaba más con la madre, ambos le hablan de «tú», pero la llaman «madre», sin emplear el «mamá» generalizado luego.

ENCARNA.—Eso te preguntaba.

VICENTE.—*(Ríe.)* Y yo estaba pensando en las Batuecas, como cualquier personaje de Beltrán. *(Mete en su cartera las revistas, las postales y el sobre.* ENCARNA *recoge su bolso y va a la mesa, de donde toma la postal abandonada.* VICENTE *va a la puerta, se vuelve y la mira.)* ¿Vamos?

ENCARNA.—*(Mirando la postal.)* Me gustaría conocer a tus padres.

VICENTE.—*(Frío.)* Ya me lo has dicho otras veces.

ENCARNA.—No te estoy proponiendo nada. Puede que no vuelva a decírtelo. *(Con dificultad.)* Pero... si tuviésemos un hijo, ¿lo protegerías?

VICENTE.—*(Se acerca a ella con ojos duros.)* ¿Vamos a tenerlo?

ENCARNA.—*(Desvía la mirada.)* No.

VICENTE.—*(Le vuelve la cabeza y la mira a los ojos.)* ¿No?

ENCARNA.—*(Quiere ser persuasiva.)* ¡No!...

VICENTE.—Descuidarse ahora sería una estupidez mayúscula...

[ENCARNA.—Pero si naciera, ¿lo protegerías?

VICENTE.—Te conozco, pequeña, y sé a dónde apuntas.]

ENCARNA.—¡Aunque no nos casásemos! ¿Lo protegerías?

VICENTE.—*(Seco.)* Si no vamos a tenerlo es inútil la pregunta. Vámonos.

(Vuelve a la puerta.)

ENCARNA.—*(Suspira y comenta, anodina.)* Pensé que a tu padre le gustaría esta postal. Es un tren muy curioso, como los de hace treinta años.

VICENTE.—No se ve gente.

(ENCARNA *deja la postal y sale por el fondo seguida de* VICENTE, *que cierra. Vuelve el ruido del tren. La luz se extingue en la oficina.* MARIO *interrumpió su trabajo y miraba fijamente a su padre, que ahora alza la vista y lo mira a su vez. El ruido del tren se apaga.* EL PADRE *se levanta y lleva sus dos monigotes de papel a la cómoda del fondo.)*

EL PADRE.—*(Musita, mientras abren un cajón.)* Éstos tienen que aguardar en la sala de espera. *(Deja los monigotes y revuelve el contenido del cajón, sacando un par de postales.)* Recortaré a esa linda señorita. *(Canturrea, mientras vuelve a la mesa:)*

La Rosenda está estupenda.
La Vicenta está opulenta...

(Se sienta y se dispone a recortar.)

MARIO.—[¿Por qué la recorta?] ¿No está mejor en la postal?
EL PADRE.—*(Sin mirarlo.)* Sólo cuando hay mucha gente. Si los recortas entonces, los partes, [porque se tapan unos a otros.] Pero yo tengo que velar por todos y al que puedo, lo salvo.
MARIO.—¿De qué?
EL PADRE.—De la postal. *(Recorta. Se abre la puerta de la casa y entra* LA MADRE *con un paquete. Es una mujer agradable y de aire animoso. Aparenta unos sesenta y cinco años.* EL PADRE *se interrumpe.)* ¿Quién anda en la puerta?
MARIO.—Es madre.

(LA MADRE *entra en la cocina.)*

EL PADRE.—*(Vuelve a recortar y canturrea.)*

La Pepica está muy rica...

MARIO.—Padre.

EL PADRE.—*(Lo mira.)* ¿Eh?

MARIO.—¿De qué tren habla? ¿De qué sala de espera? Nunca ha hablado de ningún tren...

EL PADRE.—De ése.

(Señala al frente.)

MARIO.—No hay ningún tren ahí.

EL PADRE.—Es usted un bobo, señorito. ¿No ve la ventanilla?

(El hijo lo mira y vuelve a su trabajo. LA MADRE *sale de la cocina con el paquete y entra en el cuarto de estar.)*

LA MADRE.—Ya he puesto a calentar la leche; Vicente no tardará.

(Va a la cómoda y abre el paquete.)

EL PADRE.—*(Se levanta y se inclina.)* Señora...

LA MADRE.—*(Se inclina, burlona.)* Caballero...

EL PADRE.—[Sírvase considerarse] como en su propia casa.

LA MADRE.—*(Contiene la risa.)* Muy amable, caballero.

EL PADRE.—Con su permiso, seguiré trabajando.

LA MADRE.—Usted lo tiene. *(Vuelven a saludarse.* EL PADRE *se sienta y recorta.* MARIO, *que no se ha reído, en-*

ciende un cigarrillo.) Las ensaimadas ya no son como las de antes, pero a tu hermano le siguen gustando. Si quisiera quedarse a cenar...

[MARIO.—No lo hará.

LA MADRE.—Está muy ocupado. Bastante hace ahora con venir él a traernos el sobre cada mes.]

(Ha ido poniendo la ensaimadas en una bandeja.)

MARIO.—[Habrán despedido al botones. *(Ella lo mira, molesta.)*] ¿Sabes que ya tiene coche?

LA MADRE.—*(Alegre.)* ¿Sí? ¿Se lo has visto?

MARIO.—Me lo han dicho.

LA MADRE.—¿Es grande?

MARIO.—No lo sé.

LA MADRE.—¡A lo mejor lo trae hoy!

MARIO.—No creo que llegue con él hasta aquí.

LA MADRE.—Tienes razón. Es delicado. (MARIO *la mira con leve sorpresa y vuelve a su trabajo. Ella se le acerca y baja la voz.)* Oye... ¿Le dirás tú lo que hizo tu padre?

MARIO.—Quizá no pregunte.

LA MADRE.—Notará la falta.

MARIO.—Si la nota, se lo diré.

EL PADRE.—*(Se levanta y va hacia la cómoda.)* La linda señorita ya está lista. Pero no sé quién es.

LA MADRE.—*(Ríe.)* Pues una linda señorita. ¿No te basta?

EL PADRE.—*(Súbitamente irritado.)* ¡No, no basta!

(Y abre el cajón bruscamente para dejar el muñeco.)

LA MADRE.—*(A media voz.)* Lleva unos días imposible.

EL PADRE.—¡Caramba! ¡Pasteles!

(Va a tomar una ensaimada.)

LA MADRE.—¡Déjalas hasta que venga Vicente!
EL PADRE.—¡Si Vicente soy yo!
LA MADRE.—Ya comerás luego. *(Lo aparta.)* [Anda], vuelve a tus postales, que eres como un niño.
EL PADRE.—*(Se resiste.)* Espera...
LA MADRE.—¡Anda, te digo!
EL PADRE.—Quiero darte un beso.
LA MADRE.—*(Ríe.)* ¡Huy! ¡Mira por dónde sale ahora el vejestorio!
EL PADRE.—*(Le toma la cara.)* Beso...
LA MADRE.—*(Muerta de risa.)* ¡Quita, baboso!
EL PADRE.—¡Bonita!

(La besa.)

LA MADRE.—¡Asqueroso! ¿No te da vergüenza, a tus años?

(Lo aparta, pero él reclina la cabeza sobre el pecho de ella, que mira a su hijo con un gesto de impotencia.)

EL PADRE.—Cántame la canción, bonita...
LA MADRE.—¿Qué canción? ¿Cuándo te he cantado yo a ti nada?
EL PADRE.—De pequeño.
LA MADRE.—Sería tu madre. *(Lo empuja.)* ¡Y aparta, que me ahogas!
EL PADRE.—¿No eres tú mi madre?

LA MADRE.—*(Ríe.)* [Sí, hijo. A la fuerza.] Anda, siéntate y recorta.
EL PADRE.—*(Dócil.)* Bueno.

(Se sienta y husmea en sus revistas.)

LA MADRE.—¡Y cuidado con las tijeras, que hacen pupa! [15].
EL PADRE.—Sí, mamá.

(Arranca una hoja y se dispone a recortar.)

LA MADRE.—¡Hum!... Mamá. Puede que dentro de un minuto sea la Infanta Isabel. *(Suena el timbre de la casa.)* ¡Vicente!

(Corre al fondo. MARIO *se levanta y se acerca a su padre.)*

MARIO.—Es Vicente, padre. (EL PADRE *no le atiende.* LA MADRE *abre la puerta y se arroja en brazos de su hijo.)* Vicentito.

(MARIO *se incorpora y aguarda junto al sillón de su padre.)*

LA MADRE.—¡Vicente! ¡Hijo!
VICENTE.—Hola, madre.

(Se besan.)

---

[15] La observación, trivial en principio, pues El padre es como un niño pequeño al que hay que recordarle las cosas más obvias, sirve para ir llamando la atención del espectador sobre un instrumento que tendrá una función tan importante al final.

LA MADRE.—*(Cierra la puerta y vuelve a abrazar a su hijo.)* ¡Vicentito!

VICENTE.—*(Riendo.)* ¡Vamos, madre! ¡Ni que volviese de la Luna!

LA MADRE.—Es que no me acostumbro a no verte todos los días, hijo.

(Le toma del brazo y entran los dos en el cuarto de estar.)

VICENTE.—¡Hola, Mario!

MARIO.—¿Qué hay?

(Se palmean, familiares.)

LA MADRE.—*(Al* PADRE.) ¡Mira quién ha venido!

VICENTE.—¿Qué tal le va, padre?

EL PADRE.—¿Por qué me llama padre? No soy cura.

VICENTE.—*(Ríe a carcajadas.)* ¡Ya veo que sigue sin novedad! Pues ha de saber que le he traído cosas muy lindas. *(Abre la cartera.)* Revistas y postales.

(Se las pone en la mesa.)

EL PADRE.—Muy amable, caballero. Empezaba a quedarme sin gente y no es bueno estar solo.

(Hojea una revista.)

VICENTE.—*(Risueño.)* ¡Pues ya tiene compañía! *(Se acerca a la cómoda.)* ¡Caramba! ¡Ensaimadas!

LA MADRE.—*(Feliz.)* Ahora mismo traigo el café. ¿Te quedas a cenar?

VICENTE.—¡Ni dos minutos! Tengo mil cosas que hacer.

(Se sienta en el sofá.)

LA MADRE.—*(Decepcionada.)* ¿Hoy tampoco?
VICENTE.—De veras que lo siento, madre.
LA MADRE.—[Si, al menos, vinieses más a menudo...
VICENTE.—Ahora vengo todos los meses.
LA MADRE.—Sí, claro.] Voy por el café.

(Inicia la marcha.)

VICENTE.—*(Se levanta y saca un sobre azul.)* Toma, antes de que se me olvide.
LA MADRE.—Gracias, hijo. Viene a tiempo, ¿sabes? Mañana hay que pagar el plazo de la lavadora.
VICENTE.—Pues ve encargando la nevera.
LA MADRE.—¡No! Eso, todavía...
VICENTE.—¡Si no hay problema! Me tenéis a mí. (LA MADRE *lo mira, conmovida. De pronto le da otro beso y corre rápida a refugiarse en la cocina.)* A ti te he traído pruebas.

(Saca el sobre de su cartera. MARIO *lo toma en silencio y va a dejarlo en su mesita. Entre tanto* EL PADRE *se ha levantado y los mira, caviloso. Da unos pasos y señala a la mesa.)*

EL PADRE.—¿Quién es ése?
VICENTE.—¿Cómo?
EL PADRE.—Ése... que lleva un hongo.
VICENTE.—¿Qué dice?

(MARIO *ha comprendido.* EL PADRE *tira de él, lo lleva a la mesa y pone el dedo sobre una postal.)*

EL PADRE.—Aquí.

VICENTE.—*(Se acerca.)* Es la plaza de la Ópera, en París. Todos llevan hongo; es una foto antigua.

EL PADRE.—Éste.

VICENTE.—[¡Si apenas se ve!] Uno que pasó entonces, [como todos éstos]. Uno cualquiera.

EL PADRE.—*(Enérgico.)* ¡No!

[VICENTE.—¿Cómo quiere que sepamos quién es? ¡No es nadie!

EL PADRE.—¡Sí!]

MARIO.—*(Suave.)* Ya habrá muerto.

EL PADRE.—*(Lo mira asustado.)* ¿Qué dices?

(Busca entre las revistas y toma una lupa.)

VICENTE.—¿Una lupa?

MARIO.—Tuve que comprársela. No es la primera vez que hace esa pregunta.

(EL PADRE *se ha sentado y está mirando la postal con la lupa.)*

VICENTE.—*(A media voz.)* ¿Empeora?

MARIO.—No sé.

EL PADRE.—No está muerto. Y esta mujer que cruza, ¿quién es? *(Los mira.)* Claro. Vosotros no lo sabéis. Yo, sí.

VICENTE.—¿Sí? ¿Y el señor del hongo?

EL PADRE.—*(Grave.)* También.

VICENTE.—Y si lo sabía, ¿por qué nos lo pregunta?

EL PADRE.—Para probaros.

VICENTE.—*(Le vuelve la espalda y contiene la risa.)* Se cree Dios... [16].

(EL PADRE *lo mira un segundo y se concentra en la postal.* MARIO *esboza un leve gesto de aquiescencia.* LA MADRE *sale de la cocina con una bandeja repleta de tazones.)*

LA MADRE.—*(Mientras avanza por el pasillo.)* ¿Cuándo te vas a casar, Vicente?

EL PADRE.—*(Mirando su postal.)* Ya me casé una vez.

LA MADRE.—*(Mientras el hijo mayor ríe.)* Claro. Y yo otra. (EL PADRE *la mira.)* ¡No te hablo a ti, tonto! *(Deposita la bandeja y va poniendo tazones sobre la mesa.)* ¡Y deja ya tus muñecos, que hay que merendar! Toma. Para ti una pizca, que la leche te perjudica. *(Le pone un tazón delante. Le quita la lupa y la postal. Él la mira, pero no se opone. Ella recoge postales y revistas, y las lleva a la cómoda.)* Siéntate, hijo. (VICENTE *se sienta a la mesa.)* Y yo junto al niño, porque si no se pone perdido. *(Lleva las ensaimadas a la mesa.)* ¡Coge una ensaimada, hijo!

VICENTE.—Gracias.

(Toma una ensaimada y empieza a merendar. MARIO *toma otra.)*

---

[16] La afirmación de Vicente subraya algo que ya ha sido insinuado un poco antes por El padre mismo («yo tengo que velar por todos y al que puedo, lo salvo») y da pie a una línea de interpretación del personaje como figura divina (véase, por ejemplo, el artículo de Kronik), que se ve reforzada por la aplicación final del castigo al culpable.

LA MADRE.—*(Sentada junto a su marido, le da una ensaimada.)* ¡Toma! ¿No querías una? (EL PADRE *la toma.)* ¡Moja! (EL PADRE *la moja.)* No me has contestado, hijo. ¿No te gusta alguna chica?

VICENTE.—Demasiadas.

LA MADRE.—¡Asqueroso!

EL PADRE.—¿Por dónde como esto?

LA MADRE.—¡Muerde por donde has mojado!

[EL PADRE.—¿Con qué lo muerdo?

LA MADRE.—¡Con la boca!] (EL PADRE *se lleva la ensaimada a los ojos.)* ¡La boca, la boca! No hay quien pueda contigo. *(Le quita la ensaimada y se la va dando como a un niño, tocándole los labios a cada bocado para que los abra.)* ¡Toma!

VICENTE.—¿Así está?

MARIO.—Unas veces lo sabe y otras se le olvida.

LA MADRE.—Toma otra, Vicente.

EL PADRE.—¿Tú te llamas Vicente?

VICENTE.—Sí.

EL PADRE.—¡Qué casualidad! Tocayo mío.

(VICENTE *ríe.)*

LA MADRE.—*(Al* PADRE.) Tú come y calla.

(Le brinda otro bocado.)

EL PADRE.—No quiero más. ¿Quién va a pagar la cuenta?

LA MADRE.—*(Mientras* VICENTE *ríe de nuevo.)* Ya está pagada. Y toma...

EL PADRE.—*(Rechaza el bocado y se levanta, irritado.)* [¡No quiero más!] ¡Me voy a mi casa!

LA MADRE.—*(Se levanta e intenta retenerlo.)* ¡Si estás en tu casa!

EL PADRE.—¡Esto es un restaurante!

(Intenta apartar a su mujer. VICENTE *se levanta.)*

LA MADRE.—Escucha...
EL PADRE.—¡Tengo que volver con mis padres!

(Va hacia el fondo.)

LA MADRE.—*(Tras él, le dice a* VICENTE.) Disculpa, hijo. No se le puede dejar solo.
EL PADRE.—*(En el pasillo.)* ¿Dónde está la puerta?

(Abre la de su dormitorio y se mete. LA MADRE *entra tras él, cerrando.* VICENTE *da unos pasos hacia el pasillo y luego se vuelve hacia su hermano, que no se ha levantado.)*

VICENTE.—Antes no se enfadaba tanto...
MARIO.—*(Trivial.)* Se le pasa pronto. *(Apura su tazón y se limpia la boca.)* ¿Qué tal va tu coche?
VICENTE.—¡Ah! ¿Ya lo sabes? Es poca cosa, aunque parece algo. Pero en estos tiempos resulta imprescindible...
MARIO.—*(Muy serio.)* Claro. El desarrollo económico.
VICENTE.—Eso. *(Se acerca.)* Y a ti, ¿qué tal te va?
MARIO.—También prospero. Ahora me han encargado la corrección de estilo de varios libros.
VICENTE.—¿Tienes novia?
MARIO.—No.

(ENCARNA *entra por el primer término izquierdo.* VICENTE *toma otra ensaimada y, mientras la muerde, vuelve al pasillo y escu-*

cha. ENCARNA *consulta el reloj y se sienta al velador del cafetín, mirando hacia la derecha como si esperase a alguien.)*

VICENTE.—Parece que está más tranquilo.

MARIO.—Ya te lo dije.

VICENTE.—*(Mira su reloj, vuelve al cuarto y cierra su cartera.)* Se me ha hecho tarde... *(El* CAMARERO *entra por la izquierda.* ENCARNA *y él cambian en voz baja algunas palabras. El* CAMARERO *se retira.)* Tendré que despedirme...

(VICENTE *inicia la marcha hacia el pasillo.)*

MARIO.—¿Cómo encuentras a nuestro padre?

VICENTE.—*(Se vuelve, sonriente.)* Muy divertido. [Lo del restaurante ha tenido gracia...] *(Se acerca.)* ¿No se le ha ocurrido ninguna broma con la televisión?

MARIO.—Verás...

(VICENTE *mira a todos lados.)*

VICENTE.—¿Dónde la habéis puesto? La instalaron aquí.

(ENCARNA *consulta la hora, saca un libro de su bolso y se pone a leer.)*

MARIO.—¿Has visto cómo se ha irritado?

VICENTE.—¿Qué quieres decir?

MARIO.—Últimamente se irrita con frecuencia...

VICENTE.—¿Sí?

MARIO.—Los primeros días [no dijo nada.] Se sentaba ante el aparato y de vez en cuando miraba a nuestra madre, que comentaba todos los programas contentísima, figúrate. A veces él parecía inquieto y se iba a su cuarto sin decir palabra... Una noche transmitieron *El misterio de Elche* y aquello pareció interesarle. A la mitad lo interrumpieron bruscamente para trufarlo [17] con todos esos anuncios de lavadoras, bebidas, detergentes... Cuando nos quisimos dar cuenta se había levantado y destrozaba a silletazos el aparato.

VICENTE.—¿Qué?

MARIO.—Hubo una explosión tremenda. A él no le pasó nada, pero el aparato quedó hecho añicos... [Nuestra madre no se atrevía a decírtelo.]

(Un silencio. El CAMARERO *vuelve al velador y sirve a* ENCARNA *un café con leche.)*

VICENTE.—*(Pensativo.)* Él no era muy creyente...

MARIO.—No.

(Un silencio. ENCARNA *echa dos terrones, bebe un sorbo y vuelve a su lectura.)*

VICENTE.—*(Reacciona.)* Al fin y al cabo, no sabe lo que hace.

MARIO.—Reconocerás que lo que hizo tiene sentido.

VICENTE.—Lo tendría en otra persona, no en él.

MARIO.—¿Por qué no en él?

[VICENTE.—Sufre una esclerosis avanzada; algo fisiológico. Sus reacciones son disparatadas, y no pueden ser otra cosa.

---

[17] *trufar:* introducir algo para hacer una mezcla.

MARIO.—A veces parecen otra cosa. *(Movimiento de incredulidad de* VICENTE.)] Tú mismo has dicho que se creía Dios...

VICENTE.—¡Bromeaba!

MARIO.—Tú no le observas tanto como yo.

VICENTE.—¿También tú vas a desquiciarte, Mario? ¡Es una esclerosis senil!

MARIO.—No tan senil.

VICENTE.—No te entiendo.

MARIO.—El médico habló últimamente de un posible factor desencadenante...

VICENTE.—Eso es nuevo... ¿Qué factor?

MARIO.—No sé... Por su buen estado general, le extrañó lo avanzado del proceso. Nuestro padre tiene ahora setenta y seis años, y ya hace cuatro que está así...

VICENTE.—A otros les pasa con menos edad.

MARIO.—Es que a él le sucedió por primera vez mucho antes.

[VICENTE.—¿Cómo?

MARIO.—El médico nos preguntó y entonces yo recordé algo... Pasó poco después de terminar] tú [el servicio militar, cuando] ya te habías ido de casa.

VICENTE.—¿Qué sucedió?

MARIO.—Se levantó una noche y anduvo por aquí diciendo incoherencias... Y sólo tenía cincuenta y siete años. Madre dormía, pero yo estaba desvelado [18].

VICENTE.—Nunca lo dijiste.

---

[18] Se produce aquí una primera recuperación del pasado, que en este caso nos sitúa diecinueve años atrás. Toda la obra girará cada vez con mayor insistencia sobre el motivo de recobrar —y aceptar— lo sucedido en el pasado, que se irá desvelando poco a poco, pero que todos han tenido siempre presente. Nótese cómo al momento Vicente se inmuta cuando su hermano le menciona un tren.

MARIO.—Como no volvió a suceder en tantos años, lo había olvidado.

(Un silencio.)

VICENTE.—*(Pasea.)* [Quizá algo hereditario; quién sabe.] De todos modos, no encuentro que sus reacciones signifiquen nada... Es como un niño que dice bobadas.

MARIO.—No sé... Ahora ha inventado nuevas manías... Ya has visto una de ellas: preguntar quién es cualquier hombrecillo de cualquier postal.

(Se levanta y va al frente, situándose ante el invisible tragaluz.)

VICENTE.—*(Ríe.)* Según él, para probarnos. Es gracioso.

MARIO.—Sí. Es curioso. ¿Te acuerdas de nuestro juego de muchachos?

VICENTE.—¿Qué juego?

MARIO.—Abríamos este tragaluz para mirar las piernas que pasaban y para imaginar cómo eran las personas.

VICENTE.—*(Riendo.)* ¡El juego de las adivinanzas! Ni me acordaba.

MARIO.—Desde que rompió la televisión le gusta que se lo abramos y ver pasar la gente... [Es casi como entonces, porque yo le acompaño.]

VICENTE.—*(Paseando.)* Como un cine.

MARIO.—*(Sin volverse.)* Él lo llama de otro modo. Hoy ha dicho que es un tren.

(VICENTE *se detiene en seco y lo mira. Breve silencio.* LA MADRE *sale del dormitorio y vuelve al cuarto de estar.)*

LA MADRE.—Perdona, hijo. Ahora ya está tranquilo.

VICENTE.—Me voy ya, madre.

LA MADRE.—¿Tan pronto?

VICENTE.—¡Tan tarde! Llevo retraso.

MARIO.—*(Que se volvió al oír a su madre.)* Yo también salgo.

VICENTE.—¿Te acerco a algún lado?

MARIO.—Te acompaño hasta la esquina solamente. [Voy cerca de aquí.]

LA MADRE.—También a mí me gustaría, por ver tu coche, que todo se sabe... [¿Lo has dejado en la esquina?]

VICENTE.—[Sí.] No es gran cosa.

LA MADRE.—Eso dirás tú. Otro día páralo aquí delante. No seas tan mirado... Pocas ensaimadas te has comido...

VICENTE.—Otro día me tomaré la bandeja entera. *(Señala al pasillo.)* ¿Me despido de él?

LA MADRE.—Déjalo, no vaya a querer irse otra vez. *(Ríe.)* ¿Sabes por dónde se empeñaba en salir de casa? ¡Por el armario!

VICENTE.—*(Riendo, a su hermano.)* ¿No te lo dije? ¡Igual que un niño!

(Recoge su cartera y se encamina a la salida. MARIO *recoge de la mesita su cajetilla y va tras ellos.)*

LA MADRE.—¡Que vuelvas pronto, hijo!

VICENTE.—*(En el pasillo.)* ¡Prometido!

(VICENTE *abre la puerta de la casa, barbillea*[19] *a su madre con afecto y sale.)*

---

[19] *barbillear:* tomar la barbilla con la mano como gesto de cariño.

MARIO.—*(Sale tras él.)* Hasta luego, madre.
LA MADRE.—*(Desde el quicio.)* Adiós...

(Cierra con un suspiro, vuelve al cuarto de estar y va recogiendo los restos de la merienda, para desaparecer con ellos en la cocina. La luz se amortigua en el cuarto de estar; mientras LA MADRE *termina sus paseos, la joven pareja de investigadores reaparece.* ENCARNA, *impaciente, consulta su reloj y bebe otro sorbo.)*

ÉL.—El fantasma de la persona a quien esperaba esta mujer tardará un minuto.

ELLA.—Lo aprovecharemos para comentar lo que habéis visto.

ÉL.—¿Habéis visto [solamente] realidades, o también pensamientos?

ELLA.—Sabéis todos que los detectores lograron hace tiempo captar pensamientos que, al visualizarse intensamente, pudieron ser recogidos como imágenes. La presente experiencia parece ser uno de esos casos; pero algunas de las escenas que habéis visto pudieron suceder realmente, aunque Encarna y Vicente las imaginasen al mismo tiempo en su oficina. [Recordad que algunas de ellas continúan desarrollándose cuando los que parecían imaginarlas dejaron de pensar en ellas.

ÉL.—¿Dejaron de pensar en ellas? Lo ignoramos. Nunca podremos establecer, ni ellos podrían, hasta dónde alcanzó su más honda actividad mental.

ELLA].—¿Las pensaron con tanta energía que nos parecen reales sin serlo?

ÉL.—¿Las percibieron cuando se desarrollaban, creyendo imaginarlas?

ELLA.—¿Dónde está la barrera entre las cosas y la mente?

ÉL.—Estáis presenciando una experiencia de realidad total: sucesos y pensamientos en mezcla inseparable.

ELLA.—Sucesos y pensamientos extinguidos hace siglos.

ÉL.—No del todo, puesto que los hemos descubierto. *(Por* ENCARNA.) Mirad a ese fantasma. ¡Cuán vivo nos parece!

ELLA.—*(Con el dedo en los labios.)* ¡Chist! Ya se proyecta la otra imagen. (MARIO *aparece tras ellos por la derecha y avanza unos pasos mirando a* ENCARNA.) ¿No parece realmente viva?

(La pareja sale. La luz del primer término crece. ENCARNA *levanta la vista y sonríe a* MARIO. MARIO *llega a su lado y se dan la mano. Sin desenlazarlas, se sienta él al lado de ella.)*

ENCARNA.—*(Con dulzura.)* Has tardado...

MARIO.—Mi hermano estuvo en casa.

ENCARNA.—Lo sé.

(Ella retira suavemente su mano. Él sonríe, turbado.)

MARIO.—Perdona.

ENCARNA.—¿Por qué hemos tardado tanto en conocernos? Las pocas veces que ibas por la Editora no mirabas a nadie y te marchabas en seguida... Apenas sabemos nada el uno del otro.

MARIO.—*(Venciendo la resistencia de ella, vuelve a tomarle la mano.)* Pero hemos quedado en contárnoslo.

ENCARNA.—Nunca se cuenta todo.

(El CAMARERO *reaparece. Ella retira vivamente su mano.)*

MARIO.—Cerveza, por favor. *(El* CAMARERO *asiente y se retira.* MARIO *sonríe, pero le tiembla la voz.)* Habrá pensado que somos novios.

ENCARNA.—Pero no lo somos.

MARIO.—*(La mira con curiosidad.)* Sólo confidentes..., por ahora. Cuéntame.

ENCARNA.—Si no hay otro remedio...

MARIO.—*(Le sonríe.)* No hay otro remedio.

ENCARNA.—Yo... soy de pueblo. Me quedé sin madre de muy niña. [Teníamos una tierruca muy pequeña;] mi padre se alquilaba de bracero cuando podía. Pero ya no había trabajo para nadie, [y cogimos cuatro cuartos por la tierra] y nos vinimos hace seis años.

MARIO.—Como tantos otros...

ENCARNA.—Mi padre siempre decía: tú saldrás adelante. Se colocó de albañil, y ni dormía por aceptar chapuzas. Y me compró una máquina, y un método, y libros... Y cuando me veía encendiendo la lumbre, o barriendo, o acarreando agua —porque vivíamos en las chabolas—, me decía: «Yo lo haré. Tú, estudia». Y quería que me vistiese lo mejor posible, y que leyese mucho, y que...

(Se le quiebra la voz.)

MARIO.—Y lo consiguió.

ENCARNA.—Pero se mató. Iba a las obras cansado, medio dormido, y se cayó hace tres años del andamio. *(Calla un momento.)* Y yo me quedé sola. ¡Y tan asustada! Un año entero buscando trabajo, [haciendo copias], de pensión en pensión... ¡Pero entonces supe defenderme, te lo aseguro!... *(A media voz.)* Hasta que entré en la Editora.

(Lo mira a hurtadillas.)

MARIO.—No sólo has sabido defenderte. Has sabido luchar limpiamente, y formarte... Puedes estar orgullosa.

ENCARNA.—*(De pronto, seca.)* No quisiera seguir hablando de esto[20].

(Él la mira, intrigado. El CAMARERO *vuelve con una caña de cerveza, la deposita ante* MARIO *y va a retirarse.)*

MARIO.—Cobre todo.

(Le tiende un billete. El CAMARERO *le da las vueltas y se retira.* MARIO *bebe un sorbo.)*

ENCARNA.—Y tú, ¿por qué no has estudiado? [Los dos hermanos sois muy cultos, pero tú... podrías haber hecho tantas cosas...]

MARIO.—*(Con ironía.)* [¿Cultos? Mi hermano aún pudo aprobar parte del bachillerato; yo, ni empezarlo.] La guerra civil terminó cuando yo tenía diez años. Mi padre estaba empleado en un Ministerio y lo depuraron... Cuando volvimos a Madrid hubo que meterse en el primer rincón que encontramos: en ese sótano... de donde ya no hemos salido.

---

[20] El resumen de la historia de Encarna, concentrada en estas intervenciones, revela que también ella oculta algo (su relación con Vicente), con lo que su caso se suma al motivo central de la obra.

Y años después, cuando pudo pedir el reingreso, mi padre ya no quiso hacerlo. Yo seguí leyendo y leyendo, pero... hubo que sacar adelante la casa.

ENCARNA.—¿Y tu hermano?

MARIO.—*(Frío.)* Estuvo con nosotros hasta que lo llamaron a filas. Luego decidió vivir por su cuenta.

[ENCARNA.—Ahora os ayuda...

MARIO.—Sí.

(Bebe.)]

ENCARNA.—Podrías haber prosperado como él... Quizá entrando en la Editora...

MARIO.—*(Seco.)* No quiero entrar en la Editora.

ENCARNA.—Pero... hay que vivir...

MARIO.—Esa es nuestra miseria: que hay que vivir.

ENCARNA.—*(Asiente, después de un momento.)* Hoy mismo, por ejemplo...

MARIO.—¿Qué?

ENCARNA.—No estoy segura... Ya sabes que ahora entra un grupo nuevo.

MARIO.—Sí.

ENCARNA.—Yo creo que a Beltrán no le editan la segunda novela [que entregó]. ¡Y es buenísima! [¡La acabo de leer!] ¡Y a tu hermano también le gustaba!

MARIO.—*(Con vivo interés.)* ¿Qué ha pasado?

ENCARNA.—Tu hermano hablaba con Juan por teléfono y me hizo salir. Después dijo que, en esa novela, Beltrán se había equivocado. Y de las pruebas que te ha llevado hoy, quitó un artículo que hablaba bien de él.

MARIO.—El nuevo grupo está detrás de eso. Lo tienen sentenciado.

ENCARNA.—Alguna vez lo han elogiado.

MARIO.—Para probar su coartada... Y mi hermano, metido en esas bajezas. *(Reflexiona.)* Escucha, Encarna. Vas a vigilar y a decirme todo lo que averigües de esa maniobra. ¡Tenemos que ayudar a Beltrán!

ENCARNA.—Tú eres como él.

MARIO.—*(Incrédulo.)* ¿Como Beltrán?

ENCARNA.—Esa manera suya de no pedir nada, allí, donde he visto suplicar a todo el mundo...

MARIO.—Él sí ha salido adelante sin mancharse. Alguna vez sucede... *(Sonríe.)* Pero yo no tengo su talento. *(Grave.)* Ni quizá su bondad. Escucha lo que he soñado esta noche. Había un precipicio... Yo estaba en uno de los lados, sentado ante mis pruebas... Por la otra ladera corría un desconocido, con una cuerda atada a la cintura. Y la cuerda pasaba sobre el abismo, y llegaba hasta mi muñeca. Sin dejar de trabajar, yo daba tironcitos... y lo iba acercando al borde. Cuando corría ya junto al borde mismo, di un tirón repentino y lo despeñé.

(Un silencio.)

ENCARNA.—Tú eres el mejor hombre que he conocido. Por eso me lo has contado.

MARIO.—Te lo he contado porque quiero preguntarte algo. *(Se miran, turbados. Él se decide.)* ¿Quieres ser mi mujer? *(Ella desvía la vista.)* ¿Lo esperabas? *(Ella asiente. Él sonríe.)* Nunca ganaré gran cosa. Si me caso contigo haré un matrimonio ventajoso.

ENCARNA.—*(Triste.)* No bromees.

MARIO.—*(Grave.)* Encarna, soy un hombre quebrado. [Hundido, desde el final de nuestra guerra, en aquel pozo de mi casa.] Pero si tu tristeza y la mía se unen, tal vez logremos una extraña felicidad.

ENCARNA.—*(A punto de llorar.)* ¿De qué tristeza hablas?

MARIO.—No finjas.

ENCARNA.—¿Qué sabes tú?...

MARIO.—Nada. Pero lo sé. *(Ella lo mira, turbada.)* ¿Quieres venir ahora a casa de mis padres? *(Ella lo mira con alegría y angustia.)* Antes de que decidas, debes conocerlos.

ENCARNA.—Los conozco ya. Soy yo quien reúne para tu padre revistas y postales... Cuanta más gente ve en ellas, más contento se pone, ¿verdad?

(Sonríe.)

MARIO.—*(Asiente, pensativo.)* Y a menudo pregunta: ¿Quién es éste?... ¿O éste?...

ENCARNA.—Tu hermano apartó hoy una postal porque en ella no se veía gente. Así voy aprendiendo cosas de tus padres.

MARIO.—¡También le gustan sin gente! ¿Era algún monumento?

ENCARNA.—No. Un tren antiguo [21]. (MARIO *se yergue, mirándola fijamente. Ella, sin mirarlo, continúa después de un momento.)* Mario, iremos a tu casa si quieres. ¡Pero no como novios!

MARIO.—*(Frío, distante.)* Déjame pensar. *(Ella lo mira, desconcertada. La* ESQUINERA *entra por la derecha y se detiene un momento, atisbando por todos lados la posible llegada de un cliente.* ENCARNA *se inmuta al verla.* MARIO *se levanta.)* ¿Vamos?

---

[21] Mario recibe una información importante, pues le permite sospechar si Vicente desechó la postal para evitar el recuerdo de la muerte de su hermana, que, por tanto, estaría pesando aún sobre su conciencia.

ENCARNA.—No como novios, Mario.

[MARIO.—¿Por qué no?

ENCARNA.—Puedes arrepentirte... O puede que me arrepienta yo.]

MARIO.—*(Frío.)* Te presentaré como amiga. (ENCARNA *llega a su lado. La prostituta sonríe con cansada ironía y cruza despacio.* ENCARNA *se coge del brazo de* MARIO *al verla acercarse.* MARIO *va a caminar, pero ella no se mueve.)* ¿Qué te pasa?

(La prostituta se aleja y sale, contoneándose, por la izquierda.)

ENCARNA.—Tú no quieres jugar conmigo, ¿verdad?

MARIO.—*(Molesto.)* ¿A qué viene eso?

ENCARNA.—*(Baja la cabeza.)* Vamos.

(Salen por la derecha. El CAMARERO *entró poco antes a recoger los servicios y pasa un paño por el velador mientras la luz se extingue. Los investigadores reaparecen por ambos laterales. Sendos focos los iluminan. El* CAMARERO *sale y ellos hablan.)*

ELLA.—La escena que vais a presenciar sucedió siete días después.

ÉL.—Imposible reconstruir lo sucedido en ellos. Los detectores soportaron campos radiantes muy intensos y sólo se recogían apariciones fragmentarias.

ELLA.—Los investigadores conocemos bien ese relampagueo de imágenes que, [si a veces proporciona inesperados hallazgos,] a muchos de nosotros les llevó a abandonar su labor, desalentados por tanta inmensidad...

ÉL.—Los aparatos especializan las más extrañas visiones: luchas de pájaros, manos que saludan, [un gran reptil,] el incendio de una ciudad, hormigas sobre un cadáver, llanuras heladas...

ELLA.—Yo vi antropoides en marcha, y niños ateridos tras una alambrada...

ÉL.—Y vimos otras imágenes incomprensibles, de algún astro muy lejano o de civilizaciones ya olvidadas. Presencias innumerables cuya podre [22] forma hoy nuestros cuerpos y que hemos de devolver a la nada para no perder la historia que se busca y que acaso no sea tan valiosa.

ELLA.—La acción más oculta o insignificante puede ser descubierta un día. [Hoy descubrimos antiquísimos saberes visualizando a quienes leían, tal vez con desgana, los libros destruidos.] El misterioso espacio todo lo preserva.

ÉL.—Cada suceso puede ser percibido desde algún lugar.

ELLA.—Y a veces, sin aparatos, desde alguna mente lúcida.

ÉL.—El experimento continúa.

(Las oscilaciones luminosas comienzan a vibrar sobre la oficina. ÉL *y* ELLA *salen por los laterales. La luz se estabiliza. La máquina de escribir está descubierta y tiene papeles en el carro.* ENCARNA, *a la máquina. La puerta se abre y entra* MARIO. ENCARNA *se vuelve, ahogando un suspiro.)*

MARIO.—He venido a dejar pruebas y, antes de irme, se me ocurrió visitar... a mi hermano.

ENCARNA.—*(Temblorosa.)* Lleva tres horas con los nuevos consejeros.

---

[22] *podre:* putrefacción.

MARIO.—Y su secretaria, ¿está visible?

ENCARNA.—*(Seria.)* Ya ves que sí.

MARIO.—*(Cierra y avanza.)* [¿Te molesto?

ENCARNA.—Tengo trabajo.

MARIO.—]¿Estás nerviosa?

ENCARNA.—[Los consejeros nuevos traen sus candidatos...] No sé si continuaré en la casa.

MARIO.—¡Bah! Puedes estar tranquila.

ENCARNA.—Pues no lo estoy. Y te agradecería que... no te quedases mucho tiempo.

MARIO.—*(Frunce las cejas, toma una silla y se sienta junto a* ENCARNA, *mirándola fijamente. Ella no lo mira.)* Tres días sin verte.

ENCARNA.—Con la reorganización hemos tenido mucho trabajo...

MARIO.—Siempre se encuentra un momento. *(Breve pausa.)* Si se quiere.

ENCARNA.—Yo... tenía que pensar.

MARIO.—*(Le toma una mano.)* Encarna...

ENCARNA.—¡Por favor, Mario!

MARIO.—¡Tú sabes ya que me quieres!

ENCARNA.—¡No! ¡No lo sé!

MARIO.—¡Lo sabes!

ENCARNA.—*(Se levanta, trémula.)* ¡No!

MARIO.—*(Se levanta casi al tiempo y la abraza.)* ¿Por qué mientes?

ENCARNA.—¡Suelta!

(Él la besa vorazmente. Ella logra desasirse, denegando obsesivamente, mientras mira a la puerta. MARIO *llega a su lado y la toma de los brazos.)*

MARIO.—*(Suave.)* ¿Qué te sucede?

ENCARNA.—Tenemos que hablar.

(Va a la mesa de despacho, donde se apoya, trémula.)

MARIO.—Quizá no te gustaron mis padres.

ENCARNA.—[No es eso...] Te aseguro que los quiero ya.

MARIO.—Y ellos a ti.

ENCARNA.—*(Se aparta, buscando de qué hablar.)* Tu padre me llamó Elvirita una vez... ¿Por qué?

MARIO.—Era una hermanita que se nos murió. Tenía dos años cuando terminó la guerra.

ENCARNA.—¿Me confundió con ella?

MARIO.—Si ella viviese, tendría tu edad, más o menos.

ENCARNA.—¿De qué murió?

MARIO.—Tardamos seis días en volver a Madrid. Era muy difícil tomar los trenes, que iban repletos de soldados ansiosos de llegar a sus pueblos... Y era aún más difícil encontrar comida. Leche, sobre todo. Viajamos en camiones, en tartanas, qué sé yo... La nena apenas tomaba nada... Ni nosotros... Murió al cuarto día. De hambre. *(Un silencio.)* [La enterramos en un pueblecito. Mi padre fue al Ayuntamiento y logró en seguida el certificado de defunción y el permiso. Años después le he oído comentar que fue fácil: que entonces era fácil enterrar[23].

(Un silencio.)]

ENCARNA.—*(Le oprime con ternura un hombro.)* Hay que olvidar, Mario.

---

[23] Aparece aquí el motivo central de la muerte de Elvirita, vinculado al momento del final de la guerra civil en 1939 y al tema del tren.

MARIO.—*(Cierra los ojos.)* Ayúdame tú, Encarna... ¿Te espero luego en el café?

ENCARNA.—*(Casi llorosa.)* Sí, porque tengo que hablarte.

MARIO.—*(Su tono y su expresión cambian. La mira, curioso.)* ¿De mi hermano?

ENCARNA.—Y de otras cosas.

MARIO.—¿Averiguaste algo? *(Ella lo mira, turbada.)* ¿Sí?

ENCARNA.—*(Corre a la puerta del fondo, la abre y espía un momento. Tranquilizada, cierra y toma su bolso.)* Mira lo que he encontrado en el cesto. *(Saca los trozos de papel de una carta rota y los compone sobre la mesa.* MARIO *se inclina para leer.)* ¿Entiendes el francés?

MARIO.—Un poco.

ENCARNA.—¿Verdad que hablan de Beltrán?

MARIO.—Piden los derechos de traducción de *Historia secreta,* el tercer libro que él publicó. Y como la Editora ya no existe, se dirigen a vosotros por si los tuvierais..., con el ruego, en caso contrario, de trasladar la petición al interesado. *(Un silencio. Se miran.)* [Y es al cesto de los papeles adonde ha llegado.

ENCARNA.—Si tu hermano la hubiese contestado la habría archivado, no roto.]

(Recoge aprisa los trozos de papel.)

MARIO.—No tires esos pedazos, Encarna.

ENCARNA.—No.

(Los vuelve a meter en el bolso.)

MARIO.—Esperaré a Vicente y le hablaremos de esto.

ENCARNA.—¡No!

MARIO.—¡No podemos callar! ¡Se trata de Beltrán!

[ENCARNA.—Podríamos avisarle...

MARIO.—Lo haremos si es necesario, pero a Vicente le daremos su oportunidad.]

ENCARNA.—*(Se sienta, desalentada, en su silla.)* La carta la he encontrado yo. Déjame intentarlo a mí sola.

MARIO.—¡Conmigo al lado te será más fácil!

ENCARNA.—¡Por favor!

MARIO.—*(La mira con insistencia unos instantes.)* No te pregunto si te atreverás, porque tú sabes que debes hacerlo...

ENCARNA.—Dame unos días...

MARIO.—¡No, Encarna! Si tú no me prometes hacerlo ahora, me quedo yo para decírselo a Vicente.

ENCARNA.—*(Rápida.)* ¡Te lo prometo! *(Baja la cabeza. Él le acaricia el cabello con súbita ternura.)* Me echará.

MARIO.—No tienes que reprocharle nada. Atribúyelo a un descuido suyo.

ENCARNA.—¿Puedo hacer eso?

MARIO.—*(Duro.)* Cuando haya que hablarle claro, lo haré yo. Ánimo, Encarna. En el café te espero.

ENCARNA.—*(Lo mira, sombría.)* Sí. Allí hablaremos.

(La puerta se abre y entra VICENTE *con una carpeta en la mano. Viene muy satisfecho.* ENCARNA *se levanta.)*

VICENTE.—¿Tú por aquí?

MARIO.—Pasé un momento a saludarte. Ya me iba.

VICENTE.—¡No te vayas todavía! *(Mientras deja la carpeta sobre la mesa y se sienta.)* Vamos a ver, Mario. Te voy a hacer una proposición muy seria.

ENCARNA.—¿Me... retiro?

VICENTE.—¡No hace falta! *(A* MARIO.) Encarnita debe saberlo. ¡Escúchame bien! Si tú quieres, ahora mismo quedas nombrado mi secretario. [Para trabajar aquí, conmigo. Y con ella.] (ENCARNA *y* MARIO *se miran.)* Para ti también hay buenas noticias, Encarna: quinientas pesetas más al mes. Seguirás con tu máquina y tu archivo. Pero necesito otro ayudante con buena formación literaria. Tú lo comprendes.

ENCARNA.—Claro.

(Se sienta en su silla.)

VICENTE.—Tú, Mario. Es un puesto de gran porvenir. Para empezar, calcula algo así como el triple de lo que ahora ganas. ¿Hace?

MARIO.—Verás, Vicente...

VICENTE.—Un momento... *(Con afecto.)* Lo puedo hacer hoy; más adelante ya no podría. Figúrate la alegría que le íbamos a dar a nuestra madre... Ahora puedo decirte que me lo pidió varias veces.

MARIO.—Lo suponía.

VICENTE.—También a mí me darías una gran alegría, te lo aseguro...

MARIO.—*(Suave.)* No, Vicente. Gracias.

VICENTE.—*(Reprime un movimiento de irritación.)* ¿Por qué no?

MARIO.—Yo no valgo para esto...

VICENTE.—*(Se levanta.)* ¡Yo sé mejor que tú lo que vales! ¡Y ésta es una oportunidad única! [¡No puedes,] no tienes el derecho de rehusarla! ¡Por tu mujer, por tus hijos, cuando los tengas! (ENCARNA *y* MARIO *se miran.)* ¡Encarna, tú eres mujer y lo entiendes! ¡Dile tú algo!

ENCARNA.—*(Muy turbada.)* Sí... Realmente...

[VICENTE.—*(A* MARIO.) ¡Me parece que no puedo hacer por ti más de lo que hago!]

MARIO.—Te lo agradezco de corazón, créeme... Pero no.

VICENTE.—*(Rojo.)* Esto empieza a ser humillante... Cualquier otro lo aceptaría encantado... y agradecido.

MARIO.—Lo sé, Vicente, lo sé... Discúlpame.

VICENTE.—¿Qué quiere decir ese «discúlpame»? ¿Que sí o que no?

MARIO.—*(Terminante.)* Que no.

(ENCARNA *suspira, decepcionada.)*

VICENTE.—*(Después de un momento, muy seco.)* Como quieras.

(Se sienta.)

MARIO.—Adiós, Vicente. Y gracias.

(Sale y cierra. Una pausa.)

VICENTE.—Hace años que me he resignado a no entenderle. Sólo puedo decir: es un orgulloso y un imbécil. *(Suspira.)* Nos meterán aquí a otro; [aún no sé quién será.] Pero tú no te preocupes: sigues conmigo, y con aumento de sueldo.

ENCARNA.—Yo también te doy las gracias.

VICENTE.—*(Con un movimiento de contrariedad.)* No sabe él lo generosa que era mi oferta. Porque le he mentido: no me agradaría tenerle aquí. Con sus rarezas resultaría bastante incómodo... [Y se enteraría de lo nuestro, y puede que también le pareciera censurable, porque es un estúpido que no sabe nada de la vida.] ¡Ea! No quiero pensarlo más. ¿Algo que firmar?

ENCARNA.—No.
VICENTE.—¿Ningún asunto pendiente? *(Un silencio.)* ¿Eh?
ENCARNA.—*(Con dificultad.)* No.

(Y rompe a llorar.)

VICENTE.—¿Qué te pasa?
ENCARNA.—Nada.
VICENTE.—Nervios... Tu continuidad garantizada...

(Se levanta y va a su lado.)

ENCARNA.—Eso será.
VICENTE.—*(Ríe.)* ¡Pues no hay que llorarlo, sino celebrarlo! *(Íntimo.)* ¿Tienes algo que hacer?
ENCARNA.—Es jueves...
VICENTE.—*(Contrariado.)* Tu amiga.
ENCARNA.—Sí.
VICENTE.—Pensé que hoy me dedicarías la tarde.
ENCARNA.—Ahora ya no puedo avisarla.
VICENTE.—Vamos a donde sea, te disculpas y te espero en el coche.
ENCARNA.—No estaría bien... Mañana, si quieres...

(Un silencio.)

VICENTE.—*(Molesto.)* A tu gusto. Puedes marcharte.

(ENCARNA *se levanta, recoge su bolso y se vuelve, indecisa, desde la puerta.)*

ENCARNA.—Hasta mañana...
VICENTE.—Hasta mañana.

ENCARNA.—Y gracias otra vez...
VICENTE.—*(Irónico.)* ¡De nada! De nada.

(ENCARNA *sale.* VICENTE *se pasa la mano por los ojos, cansado. Repasa unos papeles, enciende un cigarrillo y se recuesta en el sillón. Fuma, abstraído. Comienza a oírse, muy lejano, el ruido del tren, al tiempo que la luz crece y se precisa en el cuarto de estar. La puerta de la casa se abre y entran* LOS PADRES.)

LA MADRE.—¿Adónde vas, hombre?
EL PADRE.—Está aquí.

(Entra en el cuarto de estar y mira a todos lados.)

LA MADRE.—¿A quién buscas?
EL PADRE.—Al recién nacido.
LA MADRE.—Recorta tus postales, anda.
EL PADRE.—¡Tengo que buscar a mi hijo!

(La puerta de la casa se abre y entra MARIO, *que avanza.)*

LA MADRE.—Siéntate...
EL PADRE.—¡Me quejaré a la autoridad! ¡Diré que no queréis disponer el bautizo!
MARIO.—¿El bautizo de quién, padre?
EL PADRE.—¡De mi hijo Vicente! *(Se vuelve súbitamente, escuchando.* MARIO *se recuesta en la pared y lo observa. El ruido del tren se ha extinguido.)* ¡Calla! Ahora llora.

LA MADRE.—¡Nadie llora!

EL PADRE.—Estará en la cocina.

(Va hacia el pasillo.)

MARIO.—Estará en el tren, padre.

LA MADRE.—*(Molesta.)* ¿Tú también?

EL PADRE.—*(Se vuelve.)* ¡Claro! *(Va hacia el invisible tragaluz.)* Vámonos al tren, antes de que el niño crezca. ¿Por dónde se sube?

LA MADRE.—*(Se encoge de hombros y sigue el juego.)* ¡Si ya hemos montado, tonto!

EL PADRE.—*(Desconcertado.)* No.

LA MADRE.—¡Sí, hombre! ¿No oyes la locomotora? Piii... Piii... *(Comienza a arrastrar los pies, como un niño que juega.)* Chaca-chaca, chaca-chaca, chaca-chaca... *(Riendo,* EL PADRE *se coloca tras ella y la imita. Salen los dos al pasillo murmurando, entre risas, su «chaca-chaca» y se meten en el dormitorio, cuya puerta se cierra. Una pausa.* MARIO *se acerca al tragaluz y mira hacia fuera, pensativo.* VICENTE *reacciona en su oficina, apaga el cigarrillo y se levanta con un largo suspiro. Mira su reloj y, con rápido paso, sale, cerrando. La luz vibra y se extingue en la oficina.* LA MADRE *abre con sigilo la puerta del dormitorio, sale al pasillo, la cierra y vuelve al cuarto de estar sofocando la risa.)* Este hombre me mata. *(Dispone unos tazones en una bandeja, sobre la cómoda.)* Al pasar ante el armario se ha puesto a mirarse en la luna, [muy serio]. Yo le digo: ¿Qué haces? Y me dice, muy bajito: Aquí, que me he encontrado con este hombre. Pues háblale. [¿Por qué no le hablas?] Y me contesta: ¡Bah! Él tampoco me dice nada. *(Muerta de risa.)* ¡Ay, qué viejo pellejo!... ¿Quieres algo para mojar?

MARIO.—*(Sin volverse.)* No, gracias. (LA MADRE *alza la bandeja y va a irse.)* ¿De qué tren habla?

LA MADRE.—*(Se detiene.)* De alguno de las revistas...

(Inicia la marcha.)

MARIO.—O de alguno real.

LA MADRE.—*(Lo mira, curiosa.)* Puede ser. Hemos tomado tantos en esta vida...

MARIO.—*(Se vuelve hacia ella.)* Y también hemos perdido alguno.

LA MADRE.—También, claro.

MARIO.—No tan claro. No se pierde el tren todos los días. Nosotros lo perdimos sólo una vez [24].

LA MADRE.—*(Inmóvil, con la bandeja en las manos.)* Creí que no te acordabas.

MARIO.—¿No se estará refiriendo a aquél?

LA MADRE.—Él no se acuerda de nada...

MARIO.—Tú sí te acuerdas.

LA MADRE.—Claro, hijo. No por el tren, sino por aquellos días tremendos... *(Deja la bandeja sobre la mesa.)* El tren es lo de menos. Bueno: se nos llevó a Vicentito, porque él logró meterse por una ventanilla y luego ya no pudo bajar. No tuvo importancia, porque yo le grité [que nos esperase en casa de mi prima cuando llegase a Madrid. ¿Te acuerdas?

MARIO.—No muy bien.

LA MADRE.—Al ver que no podía bajar, le dije:] Vete a casa de la tía Asunción... Ya llegaremos nosotros... Y allí

---

[24] Nueva aparición del motivo del tren, que al fundirse con la trágica muerte de Elvirita, va adquiriendo importancia como centro de atención. Mario, que ha sabido que su hermano descartó la postal del tren, quiere aclarar sus propios recuerdos.

nos esperó, el pobre, sin saber que, entretanto..., se había quedado sin hermanita.

MARIO.—[El otro día,] cuando traje a aquella amiga mía, mi padre la llamó Elvirita.

LA MADRE.—¿Qué me dices?

MARIO.—No lo oíste porque estabas en la cocina.

LA MADRE.—*(Lo piensa.)* Palabras que le vienen de pronto... Pero no se acuerda de nada.

MARIO.—¿Te acuerdas tú mucho de Elvirita, madre?

LA MADRE.—*(Baja la voz.)* Todos los días [25].

MARIO.—Los niños no deberían morir.

LA MADRE.—*(Suspira.)* Pero mueren.

MARIO.—De dos maneras.

LA MADRE.—¿De dos maneras?

MARIO.—La otra es cuando crecen. Todos estamos muertos.

(LA MADRE *lo mira, triste, y recoge su bandeja.* EL PADRE *salió de su habitación y vuelve al cuarto de estar.)*

EL PADRE.—Buenas tardes, señora. ¿Quién es usted?

LA MADRE.—*(Grave.)* Tu mujer.

EL PADRE.—*(Muy serio.)* Qué risa, tía Felisa.

LA MADRE.—¡Calla, viejo pellejo! (EL PADRE *revuelve postales y revistas sobre la mesa. Elige una postal, se sienta*

---

[25] La familia ha querido vivir ocultando el dolor del pasado, y en el transcurso del drama se asiste a su recuperación paulatina. Ahora se entera Mario (y el público con él) de que La madre nunca ha podido olvidar a su hija. Es notable la abundancia de referencias al recuerdo en las últimas intervenciones: «Creí que no te acordabas»; «Él no se acuerda de nada»; «Tú sí te acuerdas»; «¿Te acuerdas?»; «Pero no se acuerda de nada»; «¿Te acuerdas tú mucho...?».

y se pone a recortarla. LA MADRE *vuelve a dejar la bandeja y se acerca a* MARIO.) Esa amiga tuya parece buena chica. ¿Es tu novia?

MARIO.—No...

LA MADRE.—Pero te gusta.

MARIO.—Sí.

LA MADRE.—[No es ninguna señorita relamida, ¡qué va! Y nosotros le hemos caído bien...] Yo que tú, me casaba con ella.

MARIO.—¿Y si no quiere?

LA MADRE.—¡Huy, hijo! A veces pareces tonto.

[MARIO.—¿Crees que podría ella vivir aquí, estando padre como está?

LA MADRE.—Si ella quiere, ¿por qué no? ¿La vas a ver hoy?

MARIO.—Es posible.

LA MADRE.—Díselo.]

MARIO.—*(Sonríe.)* Suponte que ya se lo he dicho y que no se decide.

LA MADRE.—Será que quiere hacerse valer.

MARIO.—¿Tú crees?

LA MADRE.—*(Dulce.)* Seguro, hijo.

EL PADRE.—*(A* MARIO, *por alguien de una postal.)* ¿Quién es éste?...

MARIO.—*(Se abraza de pronto a su madre.)* Me gustaría que ella viniese con nosotros.

LA MADRE.—Vendrá... y traerá alegría a la casa, y niños...

MARIO.—No hables a mi hermano de ella. Todavía no.

LA MADRE.—Se alegraría...

MARIO.—Ya lo entenderás. Es una sorpresa.

LA MADRE.—Como quieras, hijo. *(Baja la voz.)* Y tú no le hables a tu padre de ningún tren. No hay que complicar las cosas... ¡y hay que vivir! *(Se miran fijamente. Suena el timbre de la casa.)* ¿Quién será?

MARIO.—Yo iré.

LA MADRE.—¿La has citado aquí?

MARIO.—No...

LA MADRE.—Como ya es visita de la casa...

MARIO.—*(Alegre.)* Es cierto. ¡Si fuera ella...!

(Va a salir al pasillo.)

EL PADRE.—¿Quién es éste?...

(MARIO *lo mira un instante y sale a abrir.)*

LA MADRE.—*(Al tiempo, a su marido.)* ¡El hombre del saco! ¡Uuuuh! *(Y se acerca al pasillo para atisbar.* MARIO *abre. Es* VICENTE.) ¡Vicente, hijo! (MARIO *cierra en silencio.* VICENTE *avanza. Su madre lo abraza.)* ¿Te sucede algo?

VICENTE.—*(Sonríe.)* Te prometí venir más a menudo.

LA MADRE.—¡Pues hoy no te suelto en toda la tarde!

VICENTE.—No puedo quedarme mucho rato.

LA MADRE.—¡Ni te escucho! *(Han llegado al cuarto de estar.* LA MADRE *corre a la cómoda y saca un bolsillo de un cajón.)* ¡Y hazme el favor de esperar aquí tranquilo hasta que yo vuelva! *(Corre por el pasillo.)* ¡No tardo nada!

(Abre la puerta del piso y sale presurosa, cerrando.)

MARIO.—*(Que avanzó a su vez y se ha recostado en la entrada del pasillo.)* ¿A que trae ensaimadas?

VICENTE.—*(Ríe.)* ¿A que sí? Hola, padre. ¿Cómo sigue usted?

(EL PADRE *lo mira y vuelve a sus postales.)*

MARIO.—Igual, ya lo ves. Supongo que has venido a hablarme...

VICENTE.—Sí.

MARIO.—Tú dirás.

(Cruza y se sienta tras su mesita.)

VICENTE.—*(Con afecto.)* ¿Por qué no quieres trabajar en la Editora?

MARIO.—*(Lo mira, sorprendido.)* ¿De eso querías hablarme?

[VICENTE.—Sería una lástima perder esta oportunidad; quizá no tengas otra igual en años.

MARIO.—¿Estás seguro de que no quieres hablarme de ninguna otra cosa?]

VICENTE.—¡Claro! ¿De qué, si no?[26]. *(Contrariado,* MARIO *se golpea con el puño la palma de la mano, se levanta y pasea.* VICENTE *se acerca.)* Para la Editora ya trabajas, Mario. ¿Qué diferencia hay?

MARIO.—*(Duro.)* Siéntate.

---

[26] Como explica bien en su edición García Barrientos, Mario se muestra contrariado al darse cuenta de que Encarna no ha hablado con su hermano del asunto Beltrán. Con ello se cumplen varios fines: mostrar el altruismo de Mario, más preocupado por la situación del escritor que por la suya propia; dar pie a su mal contenida irritación en el debate o enfrentamiento que tiene lugar de inmediato, y provocar la aparición del «fantasma» de Beltrán a través del tragaluz, al final de la escena.

VICENTE.—Con mucho gusto, si es que por fin vas a decir algo sensato.

(Se sienta.)

MARIO.—Quizá no. *(Sonríe.)* Yo vivo aquí, con nuestro padre... Una atmósfera no muy sensata, ya lo sabes. *(Indica a* EL PADRE.) Míralo. Este pobre demente era un hombre recto, ¿te acuerdas? Y nos inculcó la religión de la rectitud. Una enseñanza peligrosa, porque [luego, cuando te enfrentas con el mundo, comprendes que es tu peor enemiga.] *(Acusador.)* No se vive de la rectitud en nuestro tiempo. ¡Se vive del engaño, de la zancadilla, de la componenda...! Se vive pisoteando a los demás. ¿Qué hacer, entonces? O aceptas ese juego siniestro... y sales de este pozo..., o te quedas en el pozo.

VICENTE.—*(Frío.)* ¿Por qué no salir?

MARIO.—Te lo estoy explicando... Me repugna nuestro mundo. [Todos piensan que] en él no cabe sino comerte a los demás o ser comido. Y encima, todos te dicen: ¡devora antes de que te devoren! Te daremos bellas teorías para tu tranquilidad. La lucha por la vida... El mal inevitable para llegar al bien necesario... La caridad bien entendida... Pero yo, en mi rincón, intento comprobar si puedo salvarme de ser devorado..., aunque no devore.

VICENTE.—No siempre te estás en tu rincón, supongo.

MARIO.—No siempre. Salgo a desempeñar mil trabajillos fugaces...

VICENTE.—Algo pisotearás también al hacerlos.

MARIO.—Tan poca cosa... Me limito a defenderme. Y hasta me dejo pisotear un poco, por no discutir... Pero, por ejemplo, no me enriquezco.

VICENTE.—Es toda una acusación. ¿Me equivoco?

EL PADRE.—¿Quién es éste?

(MARIO *va junto a su padre.)*

MARIO.—Usted nos dijo que lo sabía.
EL PADRE.—Y lo sé.

(Se les queda mirando, socarrón.)

MARIO.—*(A su hermano.)* Es curioso. La plaza de la Ópera, en París, el señor del hongo. Y la misma afirmación.
VICENTE.—Tú mismo has dicho que era un pobre demente.
MARIO.—Pero un hombre capaz de preguntar lo que él pregunta... tiene que ser mucho más que un viejo imbécil.
VICENTE.—¿Qué pregunta?
MARIO.—¿Quién es éste? ¿Y aquél? ¿No te parece una pregunta tremenda?
VICENTE.—¿Por qué?
MARIO.—¡Ah! Si no lo entiendes...

(Se encoge de hombros y pasea.)

EL PADRE.—¿Tú tienes hijos, señorito?
VICENTE.—¿Qué?
MARIO.—Te habla a ti.
VICENTE.—Sabe usted que no.
EL PADRE.—*(Sonríe.)* Luego te daré una sorpresa, señorito.

(Y se pone a recortar algo de una revista.)

VICENTE.—[No me has contestado.] (MARIO *se detiene.)* ¿Te referías a mí cuando hablabas de pisotear y enriquecerse?

MARIO.—Sólo he querido decir que tal vez yo no sería capaz de entrar en el juego sin hacerlo.

VICENTE.—*(Se levanta.)* ¡Pero no se puede uno quedar en el pozo!

MARIO.—¡Alguien tenía que quedarse aquí!

VICENTE.—*(Se le enfrenta, airado.)* ¡Si yo no me hubiera marchado, ahora no podría ayudaros!

MARIO.—¡Pero en aquellos años había que mantener a los padres... y los mantuve yo! Aunque mal, lo reconozco.

VICENTE.—¡Los mantuviste: enhorabuena! ¡Ahora puedes venirte conmigo y los mantendremos entre los dos!

MARIO.—*(Sincero.)* De verdad que no puedo.

VICENTE.—*(Procura serenarse.)* Mario, toda acción es impura. Pero [no todas son tan egoístas como crees.] ¡No harás nada útil si no actúas! Y no conocerás a los hombres sin tratarlos, ni a ti mismo si no te mezclas con ellos.

MARIO.—Prefiero mirarlos.

VICENTE.—¡Pero es absurdo, es delirante! ¡Estás consumiendo tu vida aquí, mientras observas a un alienado o atisbas por el tragaluz piernas de gente insignificante!... ¡Estás soñando! ¡Despierta!

MARIO.—¿Quién debe despertar? ¡Veo a mi alrededor muchos activos, pero están dormidos! ¡Llegan a creerse tanto más irreprochables cuanto más se encanallan!

VICENTE.—¡No he venido a que me insultes!

MARIO.—Pero vienes. Estás volviendo al pozo, cada vez con más frecuencia..., y eso es lo que más me gusta de ti [27].

---

[27] La reiteración de las visitas de Vicente remite a la vez a la mala conciencia por su actuación en el pasado y al deseo de imponer su versión del mismo, como se desarrollará en la segunda parte.

EL PADRE.—*(Interrumpe su recortar y señala a una postal.)* ¿Quién es éste, señorito? ¿A que no lo sabes?

MARIO.—La pregunta tremenda.

VICENTE.—¿Tremenda?

MARIO.—Naturalmente. Porque no basta con responder «Fulano de Tal», ni con averiguar lo que hizo y lo que le pasó. Cuando supieras todo eso tendrías que seguir preguntando... Es una pregunta insondable.

VICENTE.—Pero ¿de qué hablas?

EL PADRE.—*(Que los miraba, señala otra vez a la postal.)* Habla de éste.

(Y recorta de nuevo.)

MARIO.—¿Nunca te lo has preguntado tú, ante una postal vieja? ¿Quién fue éste? Pasó en aquel momento por allí... ¿Quién era? A los activos como tú no les importa. Pero yo me lo tropiezo ahí, en la postal, inmóvil...

VICENTE.—O sea, muerto.

MARIO.—Sólo inmóvil. Como una pintura muy viva; como la fotografía de una célula muy viva. Lo retrataron; ni siquiera se dio cuenta. Y yo pienso... Te vas a reír...

VICENTE.—*(Seco.)* Puede ser.

MARIO.—Pienso si no fue retratado para que yo, muchos años después, me preguntase quién era. (VICENTE *lo mira con asombro.)* Sí, sí; y también pienso a veces si se podría...

(Calla.)

VICENTE.—¿El qué?

MARIO.—Emprender la investigación.

VICENTE.—No entiendo.

MARIO.—Averiguar quién fue esa sombra, [por ejemplo.] Ir a París, publicar anuncios, seguir el hilo... ¿Encontraríamos su recuerdo? ¿O acaso a él mismo, ya anciano, al final del hilo? Y así, con todos [28].

VICENTE.—*(Estupefacto.)* ¿Con todos?

MARIO.—Tonterías. Figúrate. Es como querer saber el comportamiento de un electrón en una galaxia lejanísima.

VICENTE.—*(Riendo.)* ¡El punto de vista de Dios!

(EL PADRE *los mira gravemente.)*

MARIO.—Que nunca tendremos, pero que anhelamos.

VICENTE.—*(Se sienta, aburrido.)* Estás loco.

MARIO.—Sé que es un punto de vista inalcanzable. Me conformo por eso con observar las cosas, *(Lo mira.)* y a las personas, desde ángulos inesperados...

VICENTE.—*(Despectivo, irritado.)* Y te las inventas, como hacíamos ante el tragaluz cuando éramos muchachos.

MARIO.—¿No nos darán esas invenciones algo muy verdadero que las mismas personas observadas ignoran?

VICENTE.—¿El qué?

MARIO.—Es difícil explicarte... Y además, tú ya no juegas a eso... Los activos casi nunca sabéis mirar. Sólo veis los tópicos en que previamente creíais. Yo procuro evitar el tópico. Cuando me trato con ellos me pasa lo que a todos: [la experiencia es amarga.] Noto que son unos pobres dia-

---

[28] Mario expone un proyecto utópico, pero realizable dentro del planteamiento y la perspectiva temporal de la obra. A partir de la idea de que todo hombre es importante (la «importancia infinita del caso singular», dijo Ella al principio), se apunta la posibilidad de averiguarlo todo acerca de él: «Emprender la investigación». Pero esa es justamente la tarea que llevan a cabo los hombres del futuro ('mirar un árbol tras otro del bosque'), que se han calificado a sí mismos de «investigadores».

blos, que son hipócritas, que son enemigos, que son delez-nables... Una tropa de culpables y de imbéciles. Así que ob-servo... esas piernas que pasan. Y entonces creo entender que también son otras cosas... inesperadamente hermosas. O sorprendentes.

VICENTE.—*(Burlón.)* ¿Por ejemplo?

MARIO.—*(Titubea.)* No es fácil dar ejemplos. Un ade-mán, una palabra perdida... No sé. Y, muy de tarde en tarde, alguna verdadera revelación.

EL PADRE.—*(Mirándose las manos.)* ¡Cuántos dedos!

VICENTE.—*(A su hermano.)* ¿Qué ha dicho?

EL PADRE.—*(Levanta una mano.)* Demasiados dedos. Yo creo que estos dos sobran.

(Aproxima las tijeras a su meñique izquierdo.)

VICENTE.—*(Se levanta en el acto.)* ¡Cuidado! (MARIO, *que se acercó a su padre, le indica a su hermano con un rá-pido ademán que se detenga.)* ¡Se va a hacer daño!

(MARIO *deniega y observa a su padre muy atento, pronto a intervenir.* EL PADRE *intenta cortarse el meñique y afloja al sentir dolor.)*

EL PADRE.—*(Ríe.)* ¡Duele, caramba![29].

(Y vuelve a recortar en sus revistas. MARIO *sonríe.)*

VICENTE.—¡Pudo cortarse!

---

[29] Nueva llamada de atención sobre las tijeras de El padre.

MARIO.—Lo habríamos impedido a tiempo. Ahora sabemos que sus reflejos de autodefensa le responden.

[VICENTE.—Una imprudencia, de todos modos.

MARIO.—Ha habido que coserle los bolsillos porque se cortaba los forros. Pero no conviene contrariarle. Si tú te precipitas, quizá se habría cortado.] *(Sonríe.)* Y es que hay que observar, hermano. Observar y no actuar tanto. ¿Abrimos el tragaluz?

VICENTE.—*(Burlón.)* ¿Me quieres brindar una de esas grandes revelaciones?

MARIO.—Sólo intento volver un poco a nuestro tiempo de muchachos.

VICENTE.—*(Se encoge de hombros y se apoya en el borde de la camilla.)* Haz lo que gustes.

(MARIO *se acerca a la pared invisible y mima el ademán de abrir el tragaluz. Se oye el ruido de la falleba*[30] *y acaso la luz de la habitación se amortigua un tanto. Sobre la pared del fondo se proyecta la luminosa mancha ampliada del tragaluz, cruzada por la sombra de los barrotes.* EL PADRE *abandona las tijeras y mira, muy interesado. No tarda en pasar la sombra de las piernas de un viandante cualquiera)*[31].

---

[30] *falleba:* pieza de hierro que se hace girar para cerrar las ventanas de dos hojas.

[31] La escena remite al mito clásico de la caverna de Platón, fundamental además en su teoría del conocimiento. También aquí las sombras en el fondo de la pared revelan una realidad parcial, que a los ojos de Mario puede descubrir un significado más profundo. Nótese cómo su hermano lo califica de 'poeta', esto es, 'creador', que eso es lo que quiere decir tal término etimológicamente; Vicente insistirá en que 'está inventando'.

EL PADRE.—¡Siéntense!

VICENTE.—*(Ríe.)* ¡Como en el cine!

(Y ocupa una silla.)

MARIO.—Como entonces.

(Se sienta. Los tres observan el tragaluz. Ahora son unas piernas femeninas las que pasan, rápidas. Poco después, las piernas de dos hombres cruzan despacio en dirección contraria. Tal vez se oye el confuso murmullo de su charla.)

VICENTE.—*(Irónico.)* Todo vulgar, insignificante...

MARIO.—[¿Te parece?] *(Una pareja cruza: piernas de hombre junto a piernas de mujer. Se oyen sus risas. Cruzan las piernas de otro hombre, que se detiene un momento y se vuelve, al tiempo que se oye decir a alguien: «¡No tengas tanta prisa!». Las piernas del que habló arrojan su sombra: venía presuroso y se reúne con el anterior. Siguen los dos su camino y sus sombras desaparecen.)* Eso digo yo: no tengas tanta prisa. *(Entre risas y gritos de «¡Maricón el último!», pasan corriendo las sombras de tres chiquillos.)* Chicos del barrio. Quizá van a comprar su primer pitillo en la esquina: por eso hablan ya como hombrecitos. Alguna vez se paran, golpean en los cristales y salen corriendo...

VICENTE.—Los conocías ya.

MARIO.—*(Sonríe y concede.)* Sí. *(Al tiempo que cruzan las piernas de un joven.)* ¿Y ése?

VICENTE.—¡No has podido ver nada!

MARIO.—Llevaba en la mano un papelito, y tenía prisa. ¿Una receta? La farmacia está cerca. Hay un enfermo en casa. Tal vez su padre... (VICENTE *deniega con energía, es-*

céptico. Cruza la sombra de una vieja que se detiene, jadeante, y continúa.) ¿Te has fijado?

VICENTE.—¿En qué?

MARIO.—Ésta llevaba un bote, con una cuchara. Las sombras de alguna casa donde friega. Es el fracaso... Tenía varices en las pantorrillas. Es vieja, pero tiene que fregar suelos...

VICENTE.—*(Burlón.)* Poeta.

(Pasan dos sombras más.)

MARIO.—[No tanto.] *(Cruza lentamente la sombra de unas piernas femeninas y una maleta.)* ¿Y ésta?

VICENTE.—¡Si ya ha pasado!

MARIO.—Y tú no has visto nada.

VICENTE.—Una maleta.

MARIO.—De cartón. Y la falda, verde manzana. Y el andar, inseguro. Acaso otra chica de pueblo que viene a la ciudad... La pierna era vigorosa, de campesina.

VICENTE.—*(Con desdén.)* ¡Estás inventando!

MARIO.—*(Con repentina y desconcertante risa.)* ¡Claro, claro! Todo puede ser mentira.

VICENTE.—¿Entonces?

MARIO.—Es un juego. Lo más auténtico de esas gentes se puede captar, pero no es tan explicable.

VICENTE.—*(Con sorna.)* Un «no sé qué».

MARIO.—Justo.

VICENTE.—Si no es explicable no es nada.

MARIO.—No es lo mismo «nada» que «no sé qué».

(Cruzan dos o tres sombras más.)

VICENTE.—¡Todo esto es un disparate!

MARIO.—*(Comenta, anodino y sin hacerle caso, otra sombra que cruza.)* Una madre joven, con el cochecito de su hijo. El niño podría morir hoy mismo, pero ella, ahora, no lo piensa... *(Ante el gesto de fastidio de su hermano.)* Por supuesto, puede ser otra mentira. *(Ante otra sombra, que se detiene.)* ¿Y éste? No tiene mucho que hacer. Pasea.

(De pronto, la sombra se agacha y mira por el tragaluz. Un momento de silencio.)

EL PADRE.—¿Quién es ése?

(La sombra se incorpora y desaparece.)

VICENTE.—*(Incómodo.)* Un curioso...

MARIO.—*(Domina con dificultad su emoción.)* Como nosotros. Pero ¿quién es? Él también se pregunta: ¿quiénes son ésos? Ésa sí era una mirada... sobrecogedora. Yo me siento... él...

VICENTE.—¿Era este el prodigio que esperabas?

MARIO.—*(Lo considera con ojos enigmáticos.)* Para ti no es nada, ya lo veo. Habrá que probar por otro lado.

VICENTE.—¿Probar?

(Los chiquillos vuelven a pasar en dirección contraria. Se detienen y se oyen sus voces: «Aquí nos pueden ver. Vamos a la glorieta y allí la empezamos». «Eso, eso. A la glorieta». «¡Maricón el último!». Corren y desaparecen sus sombras.)

MARIO.—Los de antes. Hablan de una cajetilla.

[VICENTE.—*(Intrigado a su pesar.)* ¿Tú crees?

MARIO].—Ya ves que he acertado.

VICENTE.—Una casualidad.

MARIO.—Desde luego tampoco éste es el prodigio. Sin embargo, yo diría que hoy...

VICENTE.—¿Qué?

MARIO.—*(Lo mira fijamente.)* Nada. *(Cruzan dos o tres sombras.* VICENTE *va a hablar.)* Calla.

(Miran al tragaluz. No pasa nadie.)

VICENTE.—*(Musita.)* No pasa nadie...

MARIO.—No.

VICENTE.—Ahí hay otro.

(Aparece la sombra de unas piernas. Pertenecen a un hombre que deambula sin prisa. Se detiene justamente ante el tragaluz y se vuelve poco a poco, con las manos en la espalda, como si contemplase la calle. Da un par de pasos más y vuelve a detenerse. MARIO *espía a su hermano.)*

MARIO.—¡No puede ser!

VICENTE.—¿Qué?

MARIO.—¿No te parece que es...?

VICENTE.—¿Quién? *(Un silencio.)* ¿Alguien del barrio?

MARIO.—Si es él, me pregunto qué le ha traído por aquí. Puede que venga a observar... [Estos ambientes le interesan...]

VICENTE.—¿De quién hablas?

MARIO.—Juraría que es él. ¿No crees? Fíjate bien. El pantalón oscuro, la chaqueta de mezclilla... Y esa manera de llevar las manos a la espalda... Y esa cachaza...

VICENTE.—*(Muy asombrado.)* ¿Eugenio Beltrán? *(Se levanta y corre al tragaluz. La sombra desaparece.* MARIO *no pierde de vista a su hermano.* VICENTE *mira en vano desde un ángulo.)* No le he visto la cara. *(Se vuelve.)* ¡Qué tontería! (MARIO *guarda silencio.)* ¡No era él, Mario! (MARIO *no contesta.)* ¿O te referías a otra persona? (MARIO *se levanta sin responder. La voz de* VICENTE *se vuelve áspera.)* ¿Ves como son figuraciones, engaños? (MARIO *va al tragaluz.)* ¡Si éstos son los prodigios que se ven desde aquí, me río de tus prodigios! ¡Si es esta tu manera de conocer a la gente, estás aviado! *(Al tiempo que pasa otra sombra,* MARIO *cierra el tragaluz y gira la invisible falleba. La enrejada mancha luminosa desaparece.)* ¿O vas a sostener que era él? ¡No lo era!

MARIO.—*(Se vuelve hacia su hermano.)* Puede que no fuera él. Y puede que en eso, precisamente, esté el prodigio [32].

(Torna a su mesita y recoge de allí un pitillo, que enciende. VICENTE *se ha inmutado; ahora no lo pierde de vista. Va a hablar, pero se arrepiente. La luz vibra y crece en el primer término.* ENCARNA *entra por la izquierda, mira hacia la derecha, consulta su reloj y se sienta junto al velador.* EL PADRE *se levanta llevando en la mano un muñeco que ha recortado.)*

EL PADRE.—Toma, señorito. (VICENTE *lo mira, desconcertado.)* Hay que tener hijos y velar por ellos. Toma uno.

---

[32] Con una estratagema sencilla, Mario ha hecho caer a su hemano en la trampa y descubre que Beltrán le obsesiona y que su proceder con él no deja tranquila su conciencia; de ahí que crea haberle visto por el tragaluz. Ése es el «prodigio» a que alude.

(VICENTE *toma el muñeco.* EL PADRE *va a volver a su sillón y se detiene.)* ¿No llora otra vez? (VICENTE *lo mira, asombrado.)* Lo oigo en el pasillo.

(Va hacia el pasillo. La puerta del fondo se abre y entra LA MADRE *con un paquetito.)*

LA MADRE.—*(Mientras cierra.)* Me han hecho esperar, hijo. Ahora mismo merendamos.
EL PADRE.—Ya no llora.

(Vuelve a sentarse para mirar revistas.)

LA MADRE.—Te he traído ensaimadas. *(Exhibe el paquetito y lo deja sobre la cómoda.)* ¡En un momento caliento la leche!

(Corre al pasillo y se detiene al oír a su hijo.)

VICENTE.—*(Frío.)* Lo siento, madre. Tengo que irme.
LA MADRE.—Pero hijo...
VICENTE.—Se me ha hecho tardísimo. *(Se acerca al* PADRE *para devolverle el muñeco de papel, que conservó en la mano.* EL PADRE *lo mira. Él vacila y al fin se lo guarda en el bolsillo.)* Adiós, madre.
LA MADRE.—*(Que, entretanto, abrió aprisa el paquete.)* Tómate al menos una ensaimada...
VICENTE.—No, gracias. Tengo prisa. *(La besa. Se despide de su hermano sin mirarlo.)* Adiós, Mario.

(Se encamina al pasillo.)

MARIO.—Adiós.
LA MADRE.—Vuelve pronto.

VICENTE.—Cuando pueda, madre. Adiós.

LA MADRE.—*(Vuelve a besarlo.)* Adiós... *(Sale* VICENTE. MARIO *apaga bruscamente su pitillo; con gesto extrañamente eufórico, atrapa una ensaimada y la devora.* LA MADRE *lo mira, intrigada.)* Te daré a ti la leche...

MARIO.—Sólo esta ensaimada. *(Recoge su tabaco y se lo guarda.)* Yo también me voy. *(Consulta su reloj.)* Hasta luego. *(Por el pasillo, su voz parece un clarín.)* ¡Está muy rica esta ensaimada, madre!

(MARIO *sale.* LA MADRE *vuelve hacia su marido, pensativa.)*

LA MADRE.—Si pudiéramos hablar como hace años, me contarías...

(Suspira y se va hacia la cocina, cuya puerta cierra. Una pausa. Se oye un frenazo próximo. ENCARNA *mira hacia la derecha y se turba. Para ocultar su cara se vuelve un tanto.* VICENTE *aparece por la derecha y llega a su lado.)*

VICENTE.—¿Qué haces tú aquí?

ENCARNA.—¡Hola! ¡Qué sorpresa!

VICENTE.—Eso digo yo.

ENCARNA.—Esperaba a mi amiga. *(Consulta la hora.)* Ya no viene.

VICENTE.—¿Cómo lo sabes?

ENCARNA.—Llevo aquí mucho rato...

VICENTE.—*(Señala al velador.)* ¿Sin tomar nada?

ENCARNA.—*(Cada vez más nerviosa.)* Bebí una cerveza... Ya se han llevado el vaso.

(Mira inquieta hacia el café invisible. Un silencio. VICENTE *lanza una ojeada suspicaz hacia la derecha.)*

VICENTE.—Mis padres y mi hermano viven cerca. ¿Lo sabías?

ENCARNA.—Qué casualidad...

VICENTE.—*(En tono de broma.)* ¿No sería a un amigo a quien esperabas?

ENCARNA.—*(Roja.)* No me gustan esas bromas.

VICENTE.—¿No me invitas a quedarme? Podemos esperar a tu amiga juntos.

ENCARNA.—¡Si ya no vendrá! *(Baja la cabeza, trémula.)* Pero... como quieras.

VICENTE.—*(La mira fijamente.)* Mejor será irse. Ahora sí que podrás dedicarme la noche...

ENCARNA.—¡Claro! *(Se levanta, ansiosa.)* ¿Adónde vamos?

VICENTE.—A mi casa, naturalmente.

(La toma del brazo y salen los dos por la derecha. El coche arranca. Una pausa. Se oyen golpecitos en un cristal. EL PADRE *levanta la vista de sus revistas y, absorto, mira al tragaluz.* MARIO *entra por el primer término derecho y, al ver el velador solitario, frunce las cejas. Mira a su reloj; esboza un gesto de desesperanza. Se acerca al velador, vacila. Al fin se sienta, con expresión sombría. Una pausa. Los golpecitos sobre el cristal se repiten.* EL PADRE, *que los aguardaba, se levanta; mira hacia el fondo para cerciorarse de que nadie lo ve y corre a abrir el tragaluz. La claridad del primer tér-*

mino se amortiguó notablemente. MARIO *es casi una sombra inmóvil. Sobre el cuarto de estar vuelve a proyectarse la luminosa mancha del tragaluz. Agachadas para mirar, se dibujan las sombras de dos niños y una niña.)*

VOZ DE NIÑO.—*(Entre las risas de los otros dos.)* ¿Cómo le va, abuelo?

EL PADRE.—*(Ríe con ellos.)* ¡Hola!

VOZ DEL OTRO NIÑO.—¿Nos da una postal, abuelo?

VOZ DE NIÑO.—Mejor un pitillo.

EL PADRE.—*(Feliz.)* ¡No se fuma, granujas!

VOZ DE NIÑA.—¿Se viene a la glorieta, abuelo?

EL PADRE.—¡Ten tú cuidado en la glorieta, Elvirita! ¡Eres tan pequeña! *(Risas de los niños.)* ¡Mario! ¡Vicente! ¡Cuidad de Elvirita!

VOZ DEL OTRO NIÑO.—*(Entre las risas de todos.)* ¡Véngase a jugar, abuelo!

EL PADRE.—*(Riendo.)* ¡Sí, sí! ¡A jugar...!...

VOZ DE NIÑO.—¡Adiós, abuelo!

(Su sombra se incorpora.)

EL PADRE.—¡Vicente! ¡Mario! ¡Elvirita!

(La sombras inician la marcha, entre risas.) ¡Esperadme!...

VOZ DE NIÑA.—Adiós... *(Las sombras desaparecen.)*

EL PADRE.—*(Sobre las risas que se alejan.)* ¡Elvirita!... [33].

---

[33] El espectador descubre ahora que El padre, en su mente trastornada, no ha perdido el recuerdo de su hija muerta, lo que será muy importante para el desenlace.

(Solloza inconteniblemente, en silencio. Crece una oscuridad casi total, al tiempo que dos focos iluminan a los investigadores, que aparecen por ambos laterales.)

ELLA.—*(Sonriente.)* Volved a vuestro siglo... La primera parte del experimento ha terminado.

(El telón empieza a caer.)

ÉL.—Gracias por vuestra atención.

TELÓN

PARTE SEGUNDA

(El telón comienza a subir lentamente. Se inician las vibraciones luminosas. Los investigadores, uno a cada lateral, están fuertemente iluminados. El escenario está en penumbra; en la oficina y en el cuarto de estar la luz crece un tanto. Inmóvil y sentada a la mesa de la oficina, ENCARNA. *Inmóviles y abrazados en la vaga oscuridad del pasillo,* LA MADRE *y* VICENTE.)

ELLA.—Comienza la segunda parte de nuestro experimento.

ÉL.—Sus primeras escenas son posteriores en ocho días a las que habéis visto. *(Señala a la escena.)* Los proyectores trabajan ya y por ello vemos presencias, si bien aún inmóviles.

ELLA.—Los fragmentos rescatados de esos días no son imprescindibles. Vimos en ellos a Encarna y a Vicente trabajando en la oficina y sin hablar apenas...

ÉL.—También los vimos en una alcoba, que sería quizá la de Vicente, practicando rutinariamente el amor físico.

ELLA.—Captamos asimismo algunos fragmentos de la intimidad de Mario y sus padres. Muñecos recortados, pruebas corregidas, frases anodinas... Minutos vacíos.

ÉL.—Pero no captamos ningún nuevo encuentro entre Encarna y Mario.

ELLA.—Sin duda no lo hubo.

ÉL.—El experimento se reanuda, con visiones muy nítidas, durante una inesperada visita de Vicente a su antigua casa.

(La luz llega a su normal intensidad en la oficina y en el cuarto de estar. ENCARNA *comienza a moverse lentamente.)*

ELLA.—Recordaréis que su hermano se lo había dicho: «Tú vuelves cada vez con más frecuencia...».

ÉL.—*(Señala al escenario.)* El resto de la historia nos revelará los motivos.

(Salen ÉL *y* ELLA *por ambos lados laterales. La luz crece sobre* LA MADRE *y el hijo.* ENCARNA *repasa papeles: está ordenando cartas para archivar. Su expresión es marchita.* LA MADRE *y* VICENTE *deshacen el abrazo. Mientras hablan,* ENCARNA *va al archivador y mete algunas carpetas. Pensativa, se detiene. Luego vuelve a la mesa y sigue su trabajo.)*

LA MADRE.—*(Dulce.)* ¡Te me estás volviendo loco! Vienes tanto ahora... (VICENTE *sonríe.)* Pasa, pasa. ¿Quieres tomar algo? Leche no queda, pero te puedo dar una copita de anís.

(Llegan al cuarto de estar.)

VICENTE.—Nada, madre. Gracias.

LA MADRE.—O un vasito de tinto...
VICENTE.—De verdad que no, madre.

(ENCARNA *mira al vacío, sombría.)*

LA MADRE.—¡Mala suerte la mía!
VICENTE.—¡No lo tomes tan a pecho!
LA MADRE.—¡No es eso! Yo tenía que subir a ayudar a la señora Gabriela. Quiere que le enseñe cómo se hacen los huevos a la besamel. Es más burra...
VICENTE.—Pues sube.
LA MADRE.—¡Que se espere! Tu padre salió a pasear con el señor Anselmo. No tardarán en volver, pero irán arriba.
VICENTE.—*(Se sienta con aire cansado.)* ¿No está Mario?
LA MADRE.—Tampoco.

(ENCARNA *deja sus papeles y oculta la cabeza entre las manos.)*

VICENTE.—¿Qué tal sigue padre?

(Enciende un cigarrillo.)

LA MADRE.—Bien, a su modo.

(Va a la mesita para tomar el cenicero de MARIO.)

VICENTE.—¿Más irritado?
LA MADRE.—*(Avergonzada.)* ¿Lo dices por lo de... la televisión?
VICENTE.—Olvida eso.

LA MADRE.—Él siempre ha sido irritable... Ya lo era antes de enfermar.

VICENTE.—De eso hace ya mucho...

LA MADRE.—Pero me acuerdo.

(Le pone el cenicero al lado.)

VICENTE.—Gracias.

LA MADRE.—Yo creo que tu padre y el señor Anselmo están ya arriba. Voy a ver.

(Va hacia el fondo.)

VICENTE.—Y del tren, ¿te acuerdas?[34].

(LA MADRE *se vuelve despacio y lo mira. Comienza a sonar en el mismo instante el teléfono de la oficina.* ENCARNA *se sobresalta y lo mira, sin atreverse a descolgar.)*

LA MADRE.—¿De qué tren?

VICENTE.—*(Ríe, con esfuerzo.)* ¡Qué mala memoria! *(El teléfono sigue sonando.* ENCARNA *se levanta, mirándolo fijamente y retorciéndose las manos.)* Sólo perdisteis uno, que yo sepa... (LA MADRE *se acerca y se sienta a su lado.* ENCARNA *va a tomar el teléfono, pero se arrepiente.)* ¿O lo has olvidado?

---

[34] Ya desde el inicio de esta segunda parte se plantea el motivo del tren, vinculado al recuerdo. La madre acaba de decir: «Pero me acuerdo»; aquí usa el verbo Vicente, que alude al momento a la «memoria» y confiesa algo sumamente importante: «¿cómo iba yo a olvidar aquello?»: él ha tenido siempre en su mente los hechos del pasado. La madre prefiere la concordia («Y tú, ¿por qué te acuerdas?») y expondrá la piadosa 'versión oficial' de lo sucedido.

LA MADRE.—Y tú, ¿por qué te acuerdas? ¿Porque tu padre ha dado en esa manía de que el tragaluz es un tren? Pero no tiene ninguna relación...

(El teléfono deja de sonar. ENCARNA *se sienta, agotada.)*

VICENTE.—Claro que no la tiene. Pero ¿cómo iba yo a olvidar aquello?

LA MADRE.—Fue una pena que no pudieses bajar. Culpa de aquellos brutos que te sujetaron...

VICENTE.—Quizá no debí apresurarme a subir.

LA MADRE.—¡Si te lo mandó tu padre! ¿No te acuerdas? Todos teníamos que intentarlo como pudiésemos. Tú eras muy ágil y pudiste escalar la ventanilla de aquel retrete, pero a nosotros no nos dejaron ni pisar el estribo.

(MARIO *entra por el primer término izquierdo, con un libro bajo el brazo y jugando, ceñudo, con una ficha de teléfono. La luz creció sobre el velador poco antes.* MARIO *se sienta al velador.* ENCARNA *levanta los ojos enrojecidos y mira al vacío: acaso imagina que* MARIO *está donde efectivamente se encuentra. Durante los momentos siguientes* MARIO *bate de vez en cuando, caviloso, la ficha sobre el velador.)*

VICENTE.—*(Entretanto.)* La pobre nena...

LA MADRE.—Sí, hijo. Aquello fue fatal. *(Se queda pensativa.* ENCARNA *torna a levantarse, consulta su reloj con atormentado gesto de duda y se queda apoyada contra el mueble, luchando consigo misma.* LA MADRE *termina su triste recuerdo.)* ¡Malditos sean los hombres que arman las guerras! *(Suena el timbre de la casa.)* Puede que sea tu hermano. *(Va al fondo y abre. Es su marido, que entra sin decir nada y llega hasta el cuarto de estar. Entretanto* LA MADRE *sale al zaguán e interpela a alguien invisible.)* ¡Gracias, señor Anselmo! Dígale a la señora Gabriela que ahora mismo subo. *(Cierra y vuelve.* EL PADRE *está mirando a* VICENTE *desde el quicio del pasillo.)* ¡Mira! Ha venido Vicentito.

EL PADRE.—Claro. Yo soy Vicentito.

LA MADRE.—¡Tu hijo, bobo!

(Ríe.)

EL PADRE.—Buenas tardes, señorito. A usted le tengo yo por aquí...

(Va a la mesa y revuelve sus postales.)

LA MADRE.—¿No te importa que te deje un rato con él? Como he prometido subir...

EL PADRE.—Quizá en la sala de espera.

(Va a la cómoda y abre el cajón, revolviendo muñecos de papel.)

VICENTE.—Sube, madre. Yo cuidaré de él.

EL PADRE.—Pues aquí no lo encuentro...

LA MADRE.—De todos modos, si viene Mario y tienes que irte...

VICENTE.—Tranquila. Esperaré a que bajes.

LA MADRE.—*(Le sonríe.)* Hasta ahora, hijo. *(Sale corriendo por el fondo, mientras murmura.)* Maldita vieja de los diablos, que no hace más que dar la lata...

(Abre y sale, cerrando. VICENTE *mira a su padre.* ENCARNA *y* MARIO *miran al vacío.* ENCARNA *se humedece los labios, se apresta a una dura prueba. Con rapidez casi neurótica enfunda la máquina, recoge su bolso y, con la mano en el pestillo de la puerta, alienta, medrosa. Al fin abre y sale, cerrando. Desalentado por una espera que juzga ya inútil,* MARIO *se levanta y cruza para salir por la derecha.* EL PADRE *cierra el cajón de la cómoda y se vuelve.)*

EL PADRE.—Aquí tampoco está usted. *(Ríe.)* Usted no está en ninguna parte.

(Se sienta a la mesa y abre una revista.)

VICENTE.—*(Saca una postal del bolsillo y la pone ante su padre.)* ¿Es aquí donde estoy, padre?

(EL PADRE *examina detenidamente la postal y luego lo mira.)*

EL PADRE.—Gracias, jovencito. Siempre necesito trenes. Van todos tan repletos...

(Mira otra vez la tarjeta, la aparta y vuelve a su revista.)

VICENTE.—¿Es cierto que no me recuerda?
EL PADRE.—¿Me habla usted a mí?
VICENTE.—Padre, soy tu hijo.

EL PADRE.—¡Je! De algún tiempo a esta parte todos quieren ser mis hijos. Con su permiso, recortaré a este señor. Creo que sé quién es.

[VICENTE.—Y yo, ¿sabes quién soy?

EL PADRE.—Ya le he dicho que no está en mi archivo.

VICENTE.—*(Vuelve a ponerle delante la postal del tren.)* ¿Ni aquí?

EL PADRE.—Tampoco.

(Se dispone a recortar.)]

VICENTE.—¿Y Mario? ¿Sabe usted quién es?

EL PADRE.—Mi hijo. Hace años que no lo veo.

VICENTE.—Vive aquí, con usted.

EL PADRE.—*(Ríe.)* Puede que esté en la sala de espera.

VICENTE.—Y... ¿sabe usted quién es Elvirita? (EL PADRE *deja de reír y lo mira. De pronto se levanta, va al tragaluz, lo abre y mira al exterior. Pasan sombras truncadas de viandantes.)* No. No subieron al tren.

EL PADRE.—*(Se vuelve, irritado.)* Subieron todos. ¡Todos o ninguno!

VICENTE.—*(Se levanta.)* ¡No podían subir todos! ¡No hay que guardarle rencor al que pudo subir!...

(Pasan dos amigos hablando. Las sombras de sus piernas cruzan despacio. Apenas se distinguen sus palabras.)

EL PADRE.—¡Chist! ¿No los oye?

VICENTE.—Gente que pasa. *(Cruzan otras sombras.)* ¿Lo ve? Pobres diablos a quienes no conocemos. *(Enérgico.)* ¡Vuelva a sentarse, padre! *(Perplejo,* EL PADRE *vuelve despacio a su sitio.* VICENTE *lo toma de un brazo y lo sienta suavemente.)* No pregunte tanto quiénes son los que pasan, o los que están en esas postales... Nada tienen que ver con usted y muchos de ellos ya han muerto. En cambio, dos de sus hijos viven... Tiene que aprender a reconocerlos. *(Cruzan sombras rápidas. Se oyen voces: «¡Corre, que no llegamos!». «¡Sí, hombre!». «¡Sobra tiempo!».)* Ya los oye: personas corrientes, que van a sus cosas.

EL PADRE.—No quieren perder el tren.

VICENTE.—*(Se enardece.)* ¡Eso es una calle, padre! Corren para no perder el autobús, o porque se les hace tarde para el cine... *(Cruzan, en dirección contraria a las anteriores, las sombras de las piernas de dos muchachas. Se oyen sus voces: «Luisa no quería, pero Vicente se puso tan pesado, chica, que...». Se pierde el murmullo.* VICENTE *mira al tragaluz, sorprendido. Comenta, inseguro.)* Nada... Charlas de muchachas...

EL PADRE.—Han nombrado a Vicente.

VICENTE.—*(Nervioso.)* ¡A otro Vicente!

EL PADRE.—*(Exaltado, intenta levantarse.)* ¡Hablaban de mi hijo!

VICENTE.—*(Lo sujeta en la silla.)* ¡Yo soy su hijo! ¿Tiene usted algo que decirle a su hijo? ¿Tiene algo que reprocharle? [35].

EL PADRE.—¿Dónde está?

VICENTE.—¡Ante usted!

---

[35] La mala conciencia de Vicente trata de hallar una salida en este diálogo con El padre. Le ha preguntado por Elvirita y la reacción de éste de dirigirse al tragaluz evoca en el espectador el final de la parte primera. En su mente cristalizada en el pasado, El padre recuerda siempre a la niña, aunque, con trágica ironía, Vicente no pueda saberlo. Él busca una exculpación tardía al preguntar si existe algún reproche contra él. Con todo ello, se va preparando la escena final.

EL PADRE.—*(Después de mirarle fijamente vuelve a recortar su postal, mientras profiere, desdeñoso.)* Márchese.

(Cruzan sombras. VICENTE *suspira y se acerca al tragaluz.)*

VICENTE.—¿Por qué no dice «márchate» en lugar de «márchese»? Soy su hijo.

EL PADRE.—*(Mirándolo con ojos fríos.)* Pues márchate.

VICENTE.—*(Se vuelve en el acto.)* ¡Ah! ¡Por fin me reconoce! *(Se acerca.)* Déjeme entonces decirle que me juzga mal. Yo era casi un niño...

EL PADRE.—*(Pendiente del tragaluz.)* ¡Calle! Están hablando.

VICENTE.—¡No habla nadie!

(Mientras lo dice, la sombra de unas piernas masculinas ha cruzado, seguida por la más lenta de unas piernas de mujer, que se detienen. Se oyen sus voces.)

VOZ FEMENINA.—*(Inmediatamente después de hablar* VICENTE.*)* ¿Los protegerías?

VICENTE.—*(Inmediatamente después de la voz.)* ¡No hay nada ahí que nos importe!

(Aún no acabó de decirlo cuando se vuelve, asustado, hacia el tragaluz. La sombra masculina, que casi había desaparecido, reaparece.)

VOZ MASCULINA.—¡Vamos!

VOZ FEMENINA.—¡Contéstame antes!

VOZ MASCULINA.—No estoy para hablar de tonterías.

(La sombra denota que el hombre aferró a la mujer y que ella se resiste a caminar.)

VOZ FEMENINA.—Si tuviéramos hijos, ¿los protegerías?
VOZ MASCULINA.—¡Vamos, te he dicho!

(El hombre remolca a la mujer.)

VOZ FEMENINA.—*(Angustiada.)* ¡Di!... ¿Los protegerías?...

(Las sombras desaparecen.)

VICENTE.—*(Descompuesto.)* No puede ser... Ha sido otra casualidad... *(A su padre.)* ¿O no ha pasado nadie? [36].
EL PADRE.—Dos novios.
VICENTE.—¿Hablaban? ¿O no han dicho nada?
EL PADRE.—*(Después de un momento.)* No sé.

---

[36] Las voces del tragaluz reiteran la pregunta que hacía Encarna al principio de la obra. Pueden ser un añadido de los experimentadores («Algunas palabras procedentes del tragaluz se han inferido igualmente mediante los cerebros electrónicos», decía Ella al inicio), pero también cabe interpretarlas como una emanación del pensamiento de Vicente, preocupado por la cuestión: «Sabéis todos que los detectores lograron hace tiempo captar pensamientos». Puede tratarse también de una «coincidencia significativa», como ha comentado el propio Buero Vallejo a propósito de este momento, dentro de su teoría de la tragedia moderna. «Surgen en ella —al igual que en la vida misma— coincidencias de orden casual, sí, pero que yo llamaría —como Jung— significativas»; véase Armando Carlos Angulo, «El teatro de Antonio Buero Vallejo (entrevista con el autor)», *Papeles de Son Armadans,* 67 núm. 201, diciembre de 1972, pág. 309.

(VICENTE *lo mira, pálido, y luego mira al tragaluz. De pronto, lo cierra con brusquedad.)*

VICENTE.—*(Habla para sí, trémulo.)* No volveré aquí... No debo volver. No. (EL PADRE *empieza a reír, suave pero largamente, sin mirarlo.* VICENTE *se vuelve y lo mira, lívido.)* ¡No!... *(Retrocede hacia la cómoda, denegando.)* No.

(Se oyó la llave en la puerta. Entra MARIO, *cierra y llega hasta el cuarto de estar.)*

MARIO.—*(Sorprendido.)* Hola.

VICENTE.—Hola.

MARIO.—¿Te sucede algo?

VICENTE.—Nada.

MARIO.—*(Mira a los dos.)* ¿Y madre?

VICENTE.—Subió a casa de la señora Gabriela.

(MARIO *cruza para dejar sobre su mesita el libro que traía.)*

EL PADRE.—*(Canturrea.)*

La Rosenda está estupenda.
La Vicenta está opulenta...

MARIO.—*(Se vuelve y mira a su hermano.)* Algo te pasa.

VICENTE.—Sal de esta casa, Mario.

MARIO.—*(Sonríe y pasea.)* ¿A jugar el juego?

EL PADRE.—Ven acá, señorito. ¿A que no sabes quién es ésta?

MARIO.—¿Cuál?

EL PADRE.—Ésta. *(Le da la lupa.)* Mira bien.

(ENCARNA *entra por el primer término izquierdo y se detiene, vacilante, junto al velador. Consulta su reloj. No sabe si sentarse.)*

MARIO.—*(A su hermano.)* Es una calle muy concurrida de Viena.

EL PADRE.—¿Quién es?

MARIO.—Apenas se la distingue. Está parada junto a la terraza de un café. ¿Quién pudo ser?

EL PADRE.—¡Eso!

MARIO.—¿Qué hizo?

EL PADRE.—¡Eso! ¿Qué hizo?

MARIO.—*(A su hermano.)* ¿Y qué le hicieron?

EL PADRE.—Yo sé lo que le hicieron. Trae, señorito. Ella me dirá lo que falta. *(Le arrebata la postal y se levanta.)* Pero no aquí. Ella no hablará ante extraños.

(Se va por el pasillo, mirando la postal con la lupa, y entra en su habitación, cerrando.)

VICENTE.—Vente a la Editora, Mario. En la primera etapa puedes dormir en mi casa. (MARIO *lo mira y se sienta, despatarrado en el sillón de su padre.)* Estás en peligro: actúas como si fueses el profeta de un dios ridículo... De una religión que tiene ya sus ritos: las postales, el tragaluz, los monigotes de papel... ¡Reacciona!

(ENCARNA *se decide y continúa su marcha, aunque lentamente, saliendo por el lateral derecho.)*

MARIO.—Me doy plena cuenta de lo extraños que somos. Pero yo elijo esa extrañeza.

VICENTE.—¿Eliges?

MARIO.—Mucha gente no puede elegir, o no se atreve. *(Se incorpora un poco; habla con gravedad.)* Tú y yo hemos podido elegir, afortunadamente. Yo elijo la pobreza.

VICENTE.—*(Que paseaba, se le encara.)* Se pueden tener ambiciones y ponerlas al servicio de una causa noble.

MARIO.—*(Frío.)* Por favor, nada de tópicos. El que sirve abnegadamente a una causa no piensa en prosperar y, por lo tanto, no prospera. ¡Quia! A veces, incluso pierde la vida... Así que no me hables tú de causas, ni siquiera literarias.

VICENTE.—No voy a discutir. Si es tu gusto, sigue pensando así. Pero ¿no puedes pensarlo... en la Editora?

MARIO.—¿En la Editora? *(Ríe.)* ¿A qué estáis jugando allí? Porque yo ya no lo sé...

VICENTE.—Sabes que soy hombre de ideas avanzadas. Y no sólo literariamente.

MARIO.—*(Se levanta y pasea.)* Y el grupo que os financia ahora, ¿también lo es?

VICENTE.—¿Qué importa eso? Usamos de su dinero y nada más.

MARIO.—Y ellos, ¿no os usan a vosotros?

VICENTE.—¡No entiendes! Es un juego necesario...

MARIO.—¡Claro que entiendo el juego! Se es un poco revolucionario, luego algo conservador... No hay inconveniente, pues para eso se siguen ostentando ideas avanzadas... El nuevo grupo nos utiliza... Nos dejamos utilizar, puesto que los utilizamos... ¡Y a medrar todos! Porque ¿quién sabe ya hoy a lo que está jugando cada cual? Sólo los pobres saben que son pobres.

VICENTE.—Vuelves a acusarme y eso no me gusta.

MARIO.—A mí no me gusta tu Editora.

VICENTE.—*(Se acerca y le aferra por un hombro.)* ¡No quiero medias palabras!

MARIO.—¡Te estoy hablando claro! ¿Qué especie de repugnante maniobra estáis perpetrando contra Beltrán?

VICENTE.—*(Rojo.)* ¿De qué hablas?

MARIO.—¿Crees que no se nota? La novela que le íbais a editar, de pronto, no se edita. En las pruebas del nuevo número de la revista, tres alusiones contra Beltrán; una de ellas, en tu columna. Y un artículo contra él. ¿Por qué?

VICENTE.—*(Le da la espalda y pasea.)* Las colaboraciones son libres.

MARIO.—También tú para encargar y rechazar colaboraciones. *(Irónico.)* ¿O no lo eres?

VICENTE.—¡Hay razones para todo eso!

MARIO.—Siempre hay razones para cometer una canallada.

VICENTE.—Pero ¿quién es Beltrán? ¿Crees tú que él ha elegido la oscuridad y la pobreza?

MARIO.—Casi. Por lo pronto, aún no tiene coche, y tú ya lo tienes.

VICENTE.—¡Puede comprárselo cuando quiera!

MARIO.—Pero no quiere. *(Se acerca a su hermano.)* Le interesan cosas muy distintas de las que te obsesionan a ti. No es un pobre diablo más, corriendo tras su televisión o su nevera; no es otro monicaco detrás de un volante, orgulloso de obstruir un poco más la circulación de esta ciudad insensata... Él ha elegido... la indiferencia.

VICENTE.—¡Me estás insultando!

MARIO.—¡Él es otra esperanza! Porque nos ha enseñado que también así se puede triunfar..., aunque sea en precario... *(Grave.)* Y contra ese hombre ejemplar os estáis inventando razones importantes para anularlo. Eso es tu Editora. *(Se están mirando intensamente. Suena el timbre de la casa.)* Y no quiero herirte, hermano. Soy yo quien está intentando salvarte a ti. *(Sale al pasillo. Abre la puerta y se encuentra ante él a* ENCARNA, *con los ojos bajos.)* ¿Tú? *(Se vuelve instintivamente hacia el cuarto de estar y baja la voz.)* Vete al café. Yo iré dentro de un rato.

(Pero VICENTE *se ha asomado y reconoce a* ENCARNA.)

VICENTE.—¡Al contrario, que entre! Sin duda no es su primera visita. ¡Adelante, Encarna! (ENCARNA *titubea y se adelanta.* MARIO *cierra.)* Ya sabes que lo sospeché. *(Fuerte.)* ¿Qué haces ahí parada? (ENCARNA *avanza con los ojos bajos.* MARIO *la sigue.)* No me habéis engañado: sois los dos muy torpes. ¡Pero ya se acabaron todos los misterios! *(Ríe.)* ¡Incluidos los del viejo y los del tragaluz! No hay misterios. No hay más que seres humanos, cada cual con sus mezquindades. Puede que todos seamos unos redomados hipócritas, pero vosotros también lo sois. Conque ella era quien te informaba, ¿eh? Aunque no del todo, claro. También ella es hipócrita contigo. ¡Pura hipocresía, hermano! No hay otra cosa. Adobada, eso sí, con un poquito de romanticismo... ¿Sois novios? ¿Te dio ya el dulce «sí»? *(Se sienta, riendo.)* ¿A que no?

MARIO.—Aciertas. Ella no ha querido.

VICENTE.—*(Riendo.)* ¡Claro!

MARIO.—*(A* ENCARNA.) ¿Le hablaste de la carta?

(Ella deniega.)

VICENTE.—¡Siéntate, Encarna! ¡Como si estuvieras en tu casa! *(Ella se sienta.)* ¡Vamos a ver! ¿De qué carta me tenías que hablar?

(Un silencio.)

MARIO.—Sabes que estoy a tu lado y que te ayudaré.

(Un silencio.)

VICENTE.—¡Me intrigáis!

MARIO.—¡Ahora o nunca, Encarna!

ENCARNA.—*(Desolada.)* Yo... venía a decirte algo a ti. Sólo a ti. Después, le habría hablado. Pero ya...

(Se encoge de hombros, sin esperanza.)

MARIO.—*(Le pone una mano en el hombro.)* Te juro que no hay nada perdido. *(Dulce.)* ¿Quieres que se lo diga yo?

(Ella desvía la vista.)

VICENTE.—¡Sí, hombre! ¡Habla tú! Veamos qué misteriosa carta es ésa.

MARIO.—*(Después de mirar a* ENCARNA, *que rehúye la mirada.)* De una Editora de París, pidiéndoos los derechos de una obra de Beltrán.

VICENTE.—*(Lo piensa. Se levanta.)* Sí... llegó una carta y se ha traspapelado. *(Con tono de incredulidad.)* ¿La tenéis vosotros?

MARIO.—*(Va hacia él.)* Ha sido encontrada, hecha añicos, en tu cesto.

VICENTE.—*(Frío.)* ¿Te dedicas a mirar en los cestos, Encarna?

MARIO.—¡Fue casual! Al tirar un papel vio el membrete y le llamó la atención.

VICENTE.—¿Por qué no me lo dijiste? Le habríamos pasado en seguida una copia al interesado. No olvides llevarla mañana. (ENCARNA *lo mira perpleja.)* Quizá la rasgué sin darme cuenta al romper otros papeles...

MARIO.—*(Tranquilo.)* Embustero.

VICENTE.—¡No te tolero insultos!

MARIO.—Y toda esa campaña de la revista contra Beltrán, ¿también es involuntaria? ¡Está mintiendo, Encarna! ¡No se lo consientas! ¡Tú puedes hablarle de muchas otras cosas!

VICENTE.—¡Ella no hablará de nada! Y tampoco me habría hablado de nada después de hablar contigo, como ha dicho, porque tampoco a ti te habría revelado nada especial... Alguna mentirilla más, para que no la obligases a plantearme esas manías tuyas. ¿Verdad, Encarna? Porque tú no tienes nada que reprocharme... Eso se queda para los ilusos que miran los tragaluces y ven gigantes donde deberían ver molinos. *(Sonríe.)* No, hermano. Ella no dice nada... *(Mira a* ENCARNA, *que lo mira.)* Ni yo tampoco. *(Ella baja la cabeza.)* Y ahora, Encarna, escucha bien: ¿quieres seguir a mi lado?

(Un silencio. ENCARNA *se levanta y se aparta, turbada.)*

MARIO.—¡Contesta!

ENCARNA.—*(Musita, con enorme cansancio.)* Sí.

MARIO.—No.

(Ella lo mira.)

VICENTE.—¿Cómo?

MARIO.—Encarna, mañana dejas la Editora.

VICENTE.—*(Riendo.)* ¡Si no puede! Eso sí lo diré. ¿Tan loco te ha vuelto el tragaluz que ni siquiera te das cuenta de cómo es la chica con quien sales? ¿No la escuchabas, no le mirabas a la cara? ¿Le mirabas sólo a las piernas, como a los que pasan por ahí arriba? ¿No sabes que escribe «espontáneo» con equis? ¿Que confunde Belgrado con Bruselas? Y como no aprendió a guisar, ni a coser, no tiene otra perspectiva que la miseria..., salvo a mi lado. Y a mi lado seguirá, si quiere, porque..., a pesar de todo, la aprecio. Ella lo sabe... Y me gusta ayudar a la gente, si puedo hacerlo. Eso también lo sabes tú.

MARIO.—Has querido ofender con palabras suaves... ¡Qué torpeza! Me has descubierto el terror que le causas.

VICENTE.—¿Terror?

MARIO.—¡Ah, pequeño dictadorzuelo, con tu pequeño imperio de empleados a quienes exiges que te pongan buena cara mientras tú ahorras de sus pobres sueldos para tu hucha! ¡Ridículo aprendiz de tirano, con las palabras altruistas de todos los tiranos en la boca!...

VICENTE.—¡Te voy a cerrar la tuya!

MARIO.—¡Que se avergüence él de tu miedo, Encarna, no tú! Te pido perdón por no haberlo comprendido. Ya nunca más tendrás miedo. Porque tú sabes que aquí, desde mañana mismo, tienes tu amparo.

VICENTE.—¿Le estás haciendo una proposición de matrimonio?

MARIO.—Se la estoy repitiendo.

VICENTE.—Pero todavía no ha accedido. *(Lento.)* Y no creo que acceda. *(Un silencio.)* ¿Lo ves? No dice nada.

MARIO.—¿Quieres ser mi mujer, Encarna?

ENCARNA.—*(Con mucha dificultad, después de un momento.)* No.

(VICENTE *resuella y sonríe, satisfecho.* MARIO *mira a* ENCARNA, *estupefacto, y va a sentarse lentamente al sillón de su padre.)*

VICENTE.—¡Ea! Pues aquí no ha pasado nada. Un desengaño sentimental sin importancia. Encarna permanece fiel a la Editora y me atrevo a asegurar que más fiel que nunca. No te molestes en ir por las pruebas; te las iré enviando para ahorrarte visitas que, sin duda, no te son gratas. Yo también te libraré de las mías: tardaré en volver por aquí. Vámonos, Encarna.

(Se encamina al pasillo y se vuelve. Atrozmente nerviosa, ENCARNA *mira a los dos.* MARIO *juguetea, sombrío, con las postales.)*

ENCARNA.—Pero no así...
VICENTE.—*(Seco.)* No te entiendo.
ENCARNA.—Así no, Vicente... (MARIO *lo mira.)* ¡Así no!
VICENTE.—*(Avanza un paso.)* ¡Vámonos!
ENCARNA.—¡No!... ¡No!
VICENTE.—¿Prefieres quedarte?
ENCARNA.—*(Con un grito que es una súplica.)* ¡Mario!
VICENTE.—¡Cállate y vámonos!
ENCARNA.—¡Mario, yo venía a decírtelo todo! Te lo juro. Y voy a decirte lo único que aún queda por decir...
VICENTE.—¿Estás loca?
ENCARNA.—Yo he sido la amante de tu hermano.

(MARIO *se levanta de golpe, descompuesto. Corta pausa.)*

VICENTE.—*(Avanza un paso, con fría cólera.)* Sólo un pequeño error: no ha sido mi amante. Es mi amante. Hasta ayer, por lo menos.
MARIO.—¡Canalla!
VICENTE.—*(Eleva la voz.)* Porque ahora, claro, sí ha dejado de serlo. Y también mi empleada...

MARIO.—*(Aferra a su hermano y lo zarandea.)* ¡Bribón!
ENCARNA.—*(Grita y procura separarlos.)* ¡No!
MARIO.—¡Gusano...!

(Lo golpea.)

ENCARNA.—¡No, por piedad!
VICENTE.—¡Quieto! ¡Quieto, imbécil! *(Logra repelerlo. Quedan los dos frente a frente, jadeantes. Entre los dos, ella los mira con angustia.)* ¡Ella es libre!
MARIO.—¡Ella no tenía otra salida!
VICENTE.—¡No vuelvas a inventar para consolarte! Ella me ha querido... un poco. (ENCARNA *retrocede hasta la cómoda, turbada.)* Y no es mala chica, Mario. Cásate con ella, si quieres. A mí ya no me interesa. Porque no es mala, pero es embustera, como todas. Además que, si no la amparas, se queda en la calle..., con un mes de sueldo. Tienes un mes para pensarlo. ¡Vamos, caballero andante![37]. ¡Concédele tu mano! ¿O no te atreves? No me vas a decir que tienes prejuicios: eso ya no se estila.
MARIO.—¡Su pasado no me importa!
VICENTE.—*(Con una leve risa contenida.)* Si te entiendo... De pronto, en el presente, ha dejado de interesarte. Como a mí. Pásate mañana por la caja, muchacha. Tendrás tu sobre. Adiós.

(Va a irse. Las palabras de MARIO *le detienen.)*

---

[37] La alusión evoca el *Quijote* de Cervantes, presente en el subtexto de la obra por los temas de la locura y el altruismo, y a la que tienden asimismo otras referencias como la que hacía un poco antes Vicente en esta misma escena: «... los ilusos que miran por los tragaluces y ven gigantes donde deberían ver molinos».

MARIO.—El sobre, naturalmente. Das uno, y a olvidar... ¡Pero tú no puedes olvidar, aunque no vuelvas! Cuando cometas tu próxima trapacería recuerda que yo, desde aquí, te estaré juzgando... *(Lo mira muy fijo y dice con extraño acento.)* Porque yo sé.

VICENTE.—*(Después de un momento.)* ¿De qué hablas?

MARIO.—*(Le vuelve la espalda.)* Vete.

VICENTE.—*(Se acerca.)* ¡Estoy harto de tus insidias! ¿A qué te refieres?

MARIO.—Antes de Encarna ya has destrozado a otros... Seguro que lo has pensado.

VICENTE.—¿El qué?

MARIO.—Que nuestro padre puede estar loco por tu culpa.

VICENTE.—¿Porque me fui de casa? ¡No me hagas reír!

MARIO.—¡Si no te ríes! *(Va a la mesa y recoge una postal.)* Toma. Ya es tarde para traerla. (VICENTE *se inmuta.* ENCARNA *intenta atisbar la postal.)* Sí, Encarna: la misma que no quiso traer hace días, él sabrá por qué.

VICENTE.—*(Le arrebata la postal.)* ¡No tienes derecho a pensar lo que piensas!

MARIO.—¡Vete! ¡Y no mandes más sobres!

VICENTE.—*(Estalla.)* ¡Esto no puede quedar así!

MARIO.—*(Con una risa violenta.)* ¡Eso, tú sabrás!

VICENTE.—*(Manosea, nervioso, la postal.)* ¡Esto no va a quedar así!

(Se vuelve, ceñudo, traspone el pasillo y sale de la casa dando un tremendo portazo. MARIO *dedica una larga, tristísima mirada a* ENCARNA, *que se la devuelve con ansiedad inmensa. Luego se acerca al tragaluz y mira, absorto, la claridad exterior.)*

ENCARNA.—Mario... *(Él no responde. Ella se acerca unos pasos.)* Él quería que me callara y yo lo he dicho... *(Un silencio.)* Al principio creí que le quería... Y, sobre todo, tenía miedo... Tenía miedo, Mario. *(Baja la voz.)* También ahora lo tengo. *(Largo silencio.)* Ten piedad de mi miedo, Mario.

MARIO.—*(Con la voz húmeda.)* ¡Pero tú ya no eres Encarna!...

(Ella parpadea, trémula. Al fin, comprende el sentido de esas palabras. Él las susurra para sí de nuevo, mientras deniega. Ella inclina la cabeza y se encamina al pasillo, desde donde se vuelve a mirarlo con los ojos arrasados. Después franquea el pasillo rápidamente y sale de la casa. La luz decrece. ELLA *y* ÉL *reaparecen por los laterales. Dos focos los iluminan.* ÉL *señala a* MARIO, *que se ha quedado inmóvil.)*

ÉL.—Tal vez Mario pensó en aquel momento que es preferible no preguntar por nada ni por nadie.

ELLA.—Que es mejor no saber.

ÉL.—Sin embargo, siempre es mejor saber, aunque sea doloroso.

ELLA.—Y aunque el saber nos lleve a nuevas ignorancias.

ÉL.—Pues en efecto: ¿quién es ése? Es la pregunta que seguimos haciéndonos.

ELLA.—La pregunta invadió al fin el planeta en el siglo veintidós.

ENCARNA.—Hemos aprendido de niños la causa: las mentiras y catástrofes de los siglos precedentes la impusieron como una pregunta ineludible.

ELLA.—Quizá fueron numerosas, sin embargo, las personas que, en aquellos siglos atroces, guardaban ya en su corazón... ¿Se decía así?

ÉL.—Igual que decimos ahora: en su corazón.

ELLA.—Las personas que guardaban ya en su corazón la gran pregunta. Pero debieron de ser hombres oscuros, habitantes más o menos alucinados de semisótanos o de otros lugares parecidos.

(La luz se extingue sobre MARIO, *cuyo espectro se aleja lentamente.)*

ÉL.—Queremos recuperar la historia de estas catacumbas; preguntamos también quiénes fueron ellos. [Y las historias de todos los demás: de los que nunca sintieron en su corazón la pregunta.]

ELLA.—Nos sabemos ya solidarios, no sólo de quienes viven, sino del pasado entero. Inocentes con quienes lo fueron; culpables con quienes lo fueron.

ÉL.—Durante siglos tuvimos que olvidar, para que el pasado no nos paralizase; ahora debemos recordar incesantemente, para que el pasado no nos envenene.

ELLA.—Reasumir el pasado vuelve más lento nuestro avance, pero también más firme.

ÉL.—Compadecer, uno por uno, a cuantos vivieron, es una tarea imposible, loca. Pero esa locura es nuestro orgullo.

ELLA.—Condenados a elegir, nunca recuperaremos la totalidad de los tiempos y las vidas. Pero en esa tarea se esconde la respuesta a la gran pregunta, si es que la tiene.

ÉL.—Quizá cada época tiene una, y quizá no hay ninguna. En el siglo diecinueve, un filósofo aventuró cierta respuesta [38]. Para la tosca lógica del siglo siguiente resultó absurda. Hoy volvemos a hacerla nuestra, pero ignoramos si es verdadera... ¿Quién es ése?

ELLA.—Ése eres tú, y tú y tú. Yo soy tú, y tú eres yo. Todos hemos vivido, y viviremos, todas las vidas.

ÉL.—Si todos hubiesen pensado al herir, al atropellar, al torturar, que eran ellos mismos quienes lo padecían, no lo habrían hecho... Pensémoslo así, mientras la verdadera respuesta llega.

ELLA.—Pensémoslo, por si no llega...

(Un silencio.)

ÉL.—Veintiséis horas después de la escena que habéis presenciado, esta oscura historia se desenlaza en el aposento del tragaluz.

(Señala al fondo, donde comienzan las vibraciones luminosas. Desaparecen los dos por los laterales. La luz se normaliza en el cuarto de estar. MARIO *y* EL PADRE *vienen por el pasillo.* EL PADRE *se detiene y escucha;* MARIO *llega hasta su mesita y se sienta para hojear, abstraído, un libro.)*

EL PADRE.—¿Quién habla por ahí fuera?

MARIO.—Serán vecinos.

---

[38] En mi estudio *La trayectoria dramática de Antonio Buero Vallejo*, pág. 370, expongo y razono que el filósofo aludido es Schopenhauer. En carta particular de 22 de julio de 1982, escrita a raíz de la aparición del libro, Antonio Buero me escribía, entre otras cosas: «no quiero dejar de [referirme] al filósofo del XIX en "El tragaluz" que yo nunca confieso (...) En efecto, es Schopenhauer».

EL PADRE.—Llevo días oyendo muchas voces. Llantos, risas... Ahora lloran. *(Se acerca al tragaluz.)* Aquí tampoco es.

(Se acerca al pasillo.)

MARIO.—Nadie llora.

EL PADRE.—Es ahí fuera. ¿No oyes? Una niña y una mujer mayor.

MARIO.—*(Seguro de lo que dice.)* La voz de la mujer mayor es la de madre.

EL PADRE.—¡Ji, ji! ¿Hablas de esa señora que vive aquí?

MARIO.—Sí.

EL PADRE.—No sé quién es. La niña sí sé quién es. *(Irritado.)* ¡Y no quiero que llore!

MARIO.—¡No llora, padre!

EL PADRE.—*(Escucha.)* No. Ahora no. *(Se irrita de nuevo.)* ¿Y quién era la que llamó antes? Era la misma voz. Y tú hablaste con ella en la puerta.

MARIO.—Fue una confusión. No venía aquí.

EL PADRE.—Está ahí fuera. La oigo.

MARIO.—¡Se equivoca!

EL PADRE.—*(Lento.)* Tiene que entrar.

(Se miran. EL PADRE *va a sentarse y se absorbe en una revista. Una pausa. Se oye el ruido de la llave.* LA MADRE *entra y cierra. Llega al cuarto de estar.)*

LA MADRE.—*(Mira a hurtadillas a su hijo.)* Sal un rato si quieres, hijo.

MARIO.—No tengo ganas.

LA MADRE.—*(Con ansiedad.)* No has salido en todo el día...

MARIO.—No quiero salir.

LA MADRE.—*(Titubea. Se acerca y baja la voz.)* Hay alguien esperándote en la escalera.

MARIO.—Ya lo sé.

LA MADRE.—Se ha sentado en los peldaños... [A los vecinos les va a entrar curiosidad...]

MARIO.—Ya le he dicho a ella que se vaya.

LA MADRE.—¡Déjala entrar!

MARIO.—No.

LA MADRE.—¡Y os explicabais!

MARIO.—*(Se levanta y pasea.)* ¡Por favor, madre! Esto no es una riña de novios. Tú no puedes comprender.

(Un silencio.)

LA MADRE.—Hace una hora me encontré a esa chica en la escalera y me la llevé a dar una vuelta. Me lo ha contado todo. [Entonces yo le he dicho que volviera conmigo y que yo te pediría que la dejases entrar.] *(Un silencio.)* ¡Es una vergüenza, Mario! Los vecinos murmurarán... No la escuches si no quieres, pero déjala pasar. (MARIO *la mira, colérico, y va rápido a su cuarto para encerrarse. La voz de* LA MADRE *lo detiene.)* No quieres porque crees que no me lo ha contado todo. También me ha confesado que ha tenido que ver con tu hermano.

(Estupefacto, MARIO *cierra con un seco golpe la puerta que abrió.)*

MARIO.—*(Se acerca a su madre.)* Y después de saber eso, ¿qué pretendes? ¿Que me case con ella?

LA MADRE.—*(Débil.)* Es una buena chica.

MARIO.—¿No es a mi hermano a quien se lo tendrías que proponer?

LA MADRE.—Él... ya sabes cómo es...

MARIO.—¡Yo sí lo sé! ¿Y tú, madre? ¿Sabes cómo es tu favorito?

LA MADRE.—¡No es mi favorito!

MARIO.—También le disculparás lo de Encarna, claro. Al fin y al cabo, una ligereza de hombre, ¿no? ¡Vamos a olvidarlo, como otras cosas! ¡Es tan bueno! ¡Nos va a comprar una nevera! ¡Y, en el fondo, no es más que un niño! ¡Todavía se relame con las ensaimadas!

LA MADRE.—No hables así.

MARIO.—¡No es mala chica Encarna, no! ¡Y además, se comprende su flaqueza! ¡El demonio de Vicente es tan simpático! Pero no es mujer para él; él merece otra cosa. ¡Mario, sí! ¡Mario puede cargar con ella!

LA MADRE.—Yo sólo quiero que cada uno de vosotros viva lo más feliz que pueda...

MARIO.—¿Y me propones a Encarna para eso?

LA MADRE.—¡Te propongo lo mejor!...

MARIO.—¿Porque él no la quiere?

LA MADRE.—*(Enérgica.)* ¡Porque ella te quiere! *(Se acerca.)* Es tu hermano el que pierde, no tú. Allá él... No quiero juzgarlo... Tiene otras cualidades... Es mi hijo. *(Le toma de un brazo.)* Esa chica es de oro puro, te lo digo yo. Por eso te confesó ayer sus relaciones con Vicente.

MARIO.—¡No hay tal oro, madre! Le fallaron los nervios, simplemente. ¡Y no quiero hablar más de esto! *(Se desprende. Suena el timbre de la puerta. Se miran.* LA MADRE *va a abrir.)* ¡Te prohíbo que la dejes entrar!

LA MADRE.—Si tú no quieres, no entrará.

MARIO.—¡Entonces no abras!

LA MADRE.—Puede ser el señor Anselmo, o su mujer...

EL PADRE.—*(Se ha levantado y se inclina.)* La saludo respetuosamente, señora.

LA MADRE.—*(Se inclina, suspirando.)* Buenas tardes, señor.

EL PADRE.—Por favor, haga entrar a la niña.

(LA MADRE *y el hijo se miran. Nuevo timbrazo.* LA MADRE *va a la puerta.* EL PADRE *mira hacia el pasillo.)*

MARIO.—¿A qué niña, padre?

EL PADRE.—*(Su identidad le parece evidente.)* A la niña.

(LA MADRE *abre. Entra* VICENTE.)

VICENTE.—Hola, madre. *(La besa.)* Pregúntale a Mario si puede entrar Encarna.

MARIO.—*(Se ha asomado al oír a su hermano.)* ¿A qué vienes?

VICENTE.—Ocupémonos antes de esa chica. [No pensarás dejarla ahí toda la tarde...]

MARIO.—¿También tú temes que murmuren?

VICENTE.—*(Con calma.)* Déjala pasar.

MARIO.—¡Cierra la puerta, madre!

(LA MADRE *vacila y al fin cierra.* VICENTE *avanza, seguido de su madre.)*

EL PADRE.—*(Se sienta y vuelve a su revista.)* No es la niña.

VICENTE.—*(Sonriente y tranquilo.)* Allá tú. De todos modos voy a decirte algo. Admito que no me he portado bien con esa muchacha... *(A su madre.)* Tú no sabes de qué hablamos, madre. Ya te lo explicaré.

MARIO.—Lo sabe.

VICENTE.—¿Se lo has dicho? Mejor. Sí, madre: una ligereza que procuraré remediar. Quería decirte, Mario, que hice mal despidiéndola y que la he readmitido.

MARIO.—¿Qué?

VICENTE.—*(Risueño, va a sentarse al sofá.)* Se lo dije esta mañana, cuando fue a recoger su sobre.

MARIO.—¿Y... se quedó?

VICENTE.—[No quería, pero yo tampoco quise escuchar negativas.] Había que escribir la carta a Beltrán y me importaba que ella misma la llevase al correo. Y así lo hicimos. (MARIO *lo mira con ojos duros y va bruscamente a su mesita para tomar un pitillo.)* Te seré sincero: no es seguro que vuelva mañana. Dijo que... lo pensaría. ¿Por qué no la convences tú? No hay que hacer un drama de pequeñeces como éstas...

LA MADRE.—Claro, hijos...

VICENTE.—*(Ríe y se levanta.)* ¡Se me olvidaba! *(Saca de su bolsillo algunas postales.)* Más postales para usted, padre. Mire qué bonitas.

EL PADRE.—*(Las toma.)* ¡Ah! Muy bien... Muy bien.

MARIO.—¡Muy bien! Vicente remedia lo que puede, adora a su familia, mamá le sonríe, papá le da las gracias y, si hay suerte, Encarna volverá a ser complaciente... La vida es bella.

VICENTE.—*(Suave.)* Por favor...

MARIO.—*(Frío.)* ¿A qué has venido?

VICENTE.—*(Serio.)* A aclarar las cosas.

MARIO.—¿Qué cosas?

VICENTE.—Ayer dijiste algo que no puedo admitir. Y no quiero que vuelvas a decirlo.

MARIO.—No voy a decirlo.

(Enciende con calma su cigarrillo.)

VICENTE.—¡Pero lo piensas! Y te voy a convencer de que te equivocas.

(Inquieta y sin dejar de observarlos, LA MADRE *se sienta en un rincón.)*

MARIO.—Bajar aquí es peligroso para ti... ¿O no lo sabes?
VICENTE.—No temo nada. Tenemos que hablar y lo vamos a hacer.
LA MADRE.—Hoy no, hijos... Otro día, más tranquilos...
VICENTE.—¿Es que no sabes lo que dice?
LA MADRE.—Otro día...
VICENTE.—Se ha atrevido a afirmar que cierta persona... aquí presente... ha enloquecido por mi culpa.

(Pasea.)

LA MADRE.—Son cosas de la vejez, Mario...
VICENTE.—¡Quia, madre! Eso es lo que piensas tú, o cualquiera con la cabeza en su sitio. Él piensa otra cosa.
MARIO.—¿Y has venido a prohibírmelo?
VICENTE.—¡A que hablemos!
LA MADRE.—Pero no hoy... Ahora estáis disgustados...
VICENTE.—Hoy, madre.
MARIO.—Ya lo oyes, madre. Déjanos solos, por favor.
VICENTE.—¡De ninguna manera! Su palabra vale tanto como la tuya. ¡Quieres que se vaya para que no te desmienta!
MARIO.—Tú quieres que se quede para que te apoye.
VICENTE.—Y para que no se le quede dentro ese infundio que te has inventado.
MARIO.—¿Infundio? *(Se acerca a su padre.)* ¿Qué diría usted, padre?

(EL PADRE *lo mira, inexpresivamente. Luego empieza a recortar un muñeco.)*

VICENTE.—¡Él no puede decir nada! ¡Habla tú! ¡Explícanos ya, si puedes, toda esa locura tuya!
MARIO.—*(Se vuelve y lo mira gravemente.)* Madre, si esa muchacha está todavía ahí fuera, dile que entre.
LA MADRE.—*(Se levanta, sorprendida.)* ¿Ahora?
MARIO.—Ahora, sí.
LA MADRE.—¡Tu hermano va a tener razón! ¿Estás loco?
VICENTE.—No importa, madre. Que entre.
LA MADRE.—¡No!
MARIO.—¡Hazla entrar! Es otro testigo.
LA MADRE.—¿De qué?

(Bruscamente, VICENTE *sale al pasillo y abre la puerta.* LA MADRE *se oprime las manos, angustiada.)*

VICENTE.—Entra, Encarna. Mario te llama.

(Se aparta y cierra la puerta tras ENCARNA, *que entra. Llegan los dos al cuarto de estar.* EL PADRE *mira a* ENCARNA *con tenaz interés.)*

ENCARNA.—*(Con los ojos bajos.)* Gracias, Mario.
MARIO.—No has entrado para hablar conmigo, sino para escuchar. Siéntate y escucha.

(Turbada por la dureza de su tono, ENCARNA *va a sentarse en un rincón, pero la detiene la voz del* PADRE.)

EL PADRE.—Aquí, a mi lado... Te estoy cortando una muñeca.

LA MADRE.—*(Solloza.)* ¡Dios mío!

(ENCARNA *titubea.)*

MARIO.—Ya que no quieres irte, siéntate, madre.

(La conduce a una silla.)

LA MADRE.—¿Por qué esto, hijo?...

MARIO.—*(Por su hermano.)* Él lo quiere.

EL PADRE.—*(A* ENCARNA.) Mira qué bonita...

(ENCARNA *se sienta junto al* PADRE, *que sigue recortando.* VICENTE *se sienta en la silla de la mesita.)*

LA MADRE.—*(Inquieta.)* ¿No deberíamos llevar a tu padre a su cuarto?

MARIO.—¿Quiere usted ir a su cuarto, padre? ¿Le llevo sus revistas, sus muñecos?

EL PADRE.—No puedo.

MARIO.—Estaría usted más tranquilo allí...

EL PADRE.—*(Enfadado.)* ¡Estoy trabajando! *(Sonríe a* ENCARNA *y le da palmaditas en una mano.)* Ya verás.

VICENTE.—*(Sarcástico.)* ¡Cuanta solemnidad!

MARIO.—*(Lo mira y acaricia la cabeza de su madre.)* Madre, perdónanos el dolor que vamos a causarte.

LA MADRE.—*(Baja la cabeza.)* Pareces un juez.

MARIO.—Soy un juez. Porque el verdadero juez no puede juzgar. Aunque, ¿quién sabe? ¿Puede usted juzgar, padre?...

(EL PADRE *le envía una extraña mirada. Luego vuelve a su recorte.)*

VICENTE.—Madre lo hará por él, y por ti. Tú no eras más que un niño.

MARIO.—Ya hablaremos de aquello. Mira antes a tus víctimas más recientes. Todas están aquí.

VICENTE.—¡Qué lenguaje! No me hagas reír.

MARIO.—*(Imperturbable.)* Puedes mirar también a tus espaldas. Una de ellas sólo está en efigie. Pero lo han retratado escribiendo y parece por eso que también él te mira ahora. (VICENTE *vuelve la cabeza para mirar los recortes y fotos clavados en la pared.)* Sí: es Eugenio Beltrán.

VICENTE.—¡No he venido a hablar de él!

EL PADRE.—*(Entrega a* ENCARNA *el muñeco recortado.)* Toma. ¿Verdad que es bonito?

ENCARNA.—Gracias.

(Lo toma y empieza a arrugarlo, nerviosa. EL PADRE *busca otra lámina en la revista.)*

VICENTE.—¡Sabes de sobra lo que he venido a discutir!

EL PADRE.—*(A* ENCARNA, *que, cada vez más nerviosa, manosea y arruga el muñeco de papel.)* ¡Ten cuidado, puedes romperlo! *(Efectivamente, las manos de* ENCARNA *rasgan, convulsas, el papel.)* ¿Lo ves?

ENCARNA.—*(Con dificultad.)* Me parece inútil seguir callando... No quiero ocultarlo más... Voy a tener un hijo.

(LA MADRE *gime y oculta la cabeza entre las manos.* VICENTE *se levanta lentamente.)*

EL PADRE.—¿He oído bien? ¿Vas a ser madre? ¡Claro, has crecido tanto! (ENCARNA *rompe a llorar.)* ¡No llores, nena! ¡Tener un hijo es lo más bonito del mundo! *(Busca, febril, en la revista.)* Será como un niño muy lindo que hay aquí. Verás.

(Pasa hojas.)

MARIO.—*(Suave, a su hermano.)* ¿No tienes nada que decir?

(Desconcertado, VICENTE *se pasa la mano por la cara.)*

EL PADRE.—*(Encontró la lámina.)* ¡Mira qué hermoso! ¿Te gusta?

ENCARNA.—*(Llorando.)* Sí.

EL PADRE.—*(Empuña las tijeras.)* Ten cuidado con éste, ¿eh? Éste no lo rompas.

(Comienza a recortar.)

ENCARNA.—*(Llorando.)* ¡No!...

VICENTE.—Estudiaremos la mejor solución, Encarna. Lo reconoceré... Te ayudaré.

MARIO.—*(Suave.)* ¿Con un sobre?

VICENTE.—*(Grita.)* ¡No es asunto tuyo!

LA MADRE.—¡Tienes que casarte con ella, Vicente!

ENCARNA.—No quiero casarme con él.

LA MADRE.—¡Debéis hacerlo!

ENCARNA.—¡No! No quiero. Nunca lo haré.

MARIO.—*(A* VICENTE.) Por consiguiente, no hay que pensar en esa solución. Pero no te preocupes. Puede que ella enloquezca y viva feliz..., como la persona que tiene al lado.

VICENTE.—¡Yo estudiaré con ella lo que convenga hacer! Pero no ahora. Es precisamente de nuestro padre de quien he venido a hablar.

(EL PADRE *se ha detenido y lo mira.)*

MARIO.—Repara... Él también te mira.

VICENTE.—¡Esa mirada está vacía! ¿Por qué no te has dedicado a mirar más a nuestra madre, en vez de observarle a él? ¡Mírala! Siempre ha sido una mujer expansiva, animosa. No tiene nieblas en la cabeza, como tú.

MARIO.—¡Pobre madre! ¿Cómo hubiera podido resistir sin inventarse esa alegría?

VICENTE.—*(Ríe.)* ¿Lo oyes, madre? Te acusa de fingir.

MARIO.—No finge. Se engaña de buena fe.

VICENTE.—¡Y a ti te engaña la mala fe! Nuestro padre está como está porque es un anciano, y nada más.

(Se sienta y enciende un cigarrillo.)

MARIO.—El médico ha dicho otra cosa.

VICENTE.—¡Ya! ¡El famoso trastorno moral!

MARIO.—Madre también lo oyó [39].

VICENTE.—Y supongo que también oyó tu explicación. El viejo levantándose una noche, hace muchos años, y profiriendo disparates por el pasillo..., casualmente poco después de haberme ido yo de casa.

---

[39] Naturalmente, Mario no se refiere a que La madre hubiese oído a El padre diciendo incoherencias tras haberse levantado una noche, pues en el primer acto ha aclarado que ella dormía; a quien ella oyó fue al médico, que «habló últimamente de un posible factor desencadenante».

MARIO.—Buena memoria.

VICENTE.—Pero no lo oyó nadie, sólo tú...

MARIO.—¿Me acusas de haberlo inventado?

VICENTE.—O soñado. Una cabeza como la tuya no es de fiar. Pero aunque fuera cierto, no demostraría nada. Quizá fui algo egoísta cuando me marché de aquí, y también he procurado repararlo. ¡Pero nadie se vuelve loco porque un hijo se va de casa, a no ser que haya una predisposición a trastornarse por cualquier minucia! Y eso me exime de toda culpa.

MARIO.—Salvo que seas tú mismo quien, con anterioridad, crease esa predisposición.

EL PADRE.—*(Entrega el recorte a* ENCARNA.) Toma. Éste es su retrato.

ENCARNA.—*(Lo toma.)* Gracias.

VICENTE.—*(Con premeditada lentitud.)* ¿Te estás refiriendo al tren?

(LA MADRE *se sobresalta.)*

MARIO.—*(Pendiente de su padre.)* Calla.

EL PADRE.—¿Te gusta?

ENCARNA.—Sí, señor.

EL PADRE.—¿Señor? Aquí todos me llaman padre... *(Le oprime con afecto una mano.)* Cuídalo mucho y vivirá.

(Toma otra revista y se absorbe en su contemplación.)

VICENTE.—*(A media voz.)* Te has referido al tren. Y a hablar de él he venido.

(EL PADRE *lo mira un momento y vuelve a mirar su revista.)*

LA MADRE.—¡No, hijos!

VICENTE.—¿Por qué no?

LA MADRE.—Hay que olvidar aquello.

VICENTE.—Comprendo que es un recuerdo doloroso para ti..., por la pobre nena. ¡Pero yo también soy hijo y estoy en entredicho! ¡Dile tú lo que pasó, madre! *(A* MARIO, *señalando al* PADRE.) Él nos mandó subir a toda costa! Y yo lo logré. Y luego, cuando arrancó la máquina y os vi en el andén, ya no pude bajar. Me retuvieron. ¿No fue así, madre?

LA MADRE.—Sí, hijo.

(Rehúye su mirada.)

VICENTE.—*(A* MARIO.) ¿Lo oyes? ¡Subí porque él me lo mandó!

MARIO.—*(Rememora.)* No dijo una palabra en todo el resto del día... ¿Te acuerdas, madre? Y luego, por la noche... *(A* VICENTE.) Esto no lo sabes aún, pero ella también lo recordará, porque entonces sí se despertó... Aquella noche se levantó de pronto y la emprendió a bastonazos con las paredes..., hasta que rompió el bastón: aquella cañita antigua que él usaba. Nuestra madre espantada, la nena llorando, y yo escuchándole una sola palabra mientras golpeaba y golpeaba las paredes de la sala de espera de la estación, donde nos habíamos metido a pasar la noche... (EL PADRE *atiende.)* Una sola palabra, que repetía y repetía: ¡Bribón!... ¡Bribón!...

LA MADRE.—*(Grita.)* ¡Cállate!

[EL PADRE.—*(Casi al tiempo, señala a la cómoda.)* ¿Pasa algo en la sala de espera?

MARIO.—Nada, padre. Todos duermen tranquilos.]

VICENTE.—¿Por qué supones que se refería a mí?

MARIO.—¿A quién, si no?

VICENTE.—Pudieron ser los primeros síntomas de su desequilibrio.

MARIO.—Desde luego. Porque él no era un hombre al uso. Él era de la madera de los que nunca se reponen de la deslealtad ajena.

VICENTE.—¿Estás sordo? ¡Te digo que él me mandó subir!

LA MADRE.—¡Nos mandó subir a todos, Mario!

MARIO.—Y bajar. «¡Baja! ¡Baja!», te decía, lleno de ira, desde el andén... Pero el tren arrancó... y se te llevó para siempre. Porque ya nunca has bajado de él.

VICENTE.—¡Lo intenté y no pude! Yo había escalado la ventanilla de un retrete. Cinco más iban allí dentro. Ni nos podíamos mover.

MARIO.—Te retenían.

VICENTE.—Estábamos tan apretados... Era más difícil bajar que subir. Me sujetaron, para que no me quebrara un hueso.

MARIO.—*(Después de un momento.)* ¿Y qué era lo que tú sujetabas?

VICENTE.—*(Después de un momento.)* ¿Cómo?

MARIO.—¿Se te ha olvidado lo que llevabas?

VICENTE.—*(Turbado.)* ¿Lo que llevaba?

MARIO.—Colgado al cuello. ¿O no lo recuerdas? *(Un silencio.* VICENTE *no sabe qué decir.)* Un saquito. Nuestras escasas provisiones y unos pocos botes de leche para la nena. Él te lo había confiado porque eras el más fuerte... La nena murió unos días después. De hambre. (LA MADRE *llora en silencio.)* Nunca más habló él de aquello. Nunca. Prefirió enloquecer.

(Un silencio.)

VICENTE.—*(Débil.)* Fue... una fatalidad... En aquel momento, ni pensaba en el saquito...

LA MADRE.—*(Muy débil.)* Y no pudo bajar, Mario. Lo sujetaban...

(Largo silencio. Al fin, MARIO *habla, muy tranquilo.)*

MARIO.—No lo sujetaban; lo empujaban.

VICENTE.—*(Se levanta, rojo.)* ¡Me sujetaban!

MARIO.—¡Te empujaban!

VICENTE.—¡Lo recuerdas mal! ¡Sólo tenías diez años!

MARIO.—Si no podías bajar, ¿por qué no nos tiraste el saco?

VICENTE.—¡Te digo que no se me ocurrió! ¡Forcejeaba con ellos.

MARIO.—*(Fuerte.)* ¡Sí, pero para quedarte! Durante muchos años he querido convencerme de que recordaba mal; he querido creer en esa versión que toda la familia dio por buena. Pero era imposible, porque siempre te veía en la ventanilla, pasando ante mis ojos atónitos de niño, fingiendo que intentabas bajar y resistiendo los empellones que te daban entre risas aquellos soldadotes... ¿Cómo no ibas a poder bajar? ¡Tus compañeros de retrete no deseaban otra cosa! ¡Les estorbabas! *(Breve silencio.)* Y nosotros también te estorbábamos. La guerra había sido atroz para todos; el futuro era incierto y, de pronto, comprendiste que el saco era tu primer botín. No te culpo del todo; sólo eras un muchacho hambriento y asustado. Nos tocó crecer en años difíciles... ¡Pero ahora, hombre ya, sí eres culpable! Has hecho pocas víctimas, desde luego; hay innumerables canallas que las han hecho por miles, por millones. ¡Pero tú eres como ellos! Dale tiempo al tiempo y verás crecer el número de las tuyas... Y tu botín. (VICENTE, *que mostró, de tanto en tanto, tímidos deseos de contestar, se ha ido apagando. Ahora mira a todos con los ojos de una triste alimaña acorralada.* LA MADRE *desvía la vista.* VICENTE *inclina la cabeza y se sienta, sombrío.* MARIO *se acerca a él y le habla quedo.)* También aquel niño que te vio en la ventanilla del tren es tu víctima. Aquel niño sensible, a quien su hermano mayor enseñó de pronto, cómo era el mundo.

EL PADRE.—*(A* ENCARNA, *con una postal en la mano.)* ¿Quién es éste, muchacha?

ENCARNA.—*(Muy quedo.)* No sé.

EL PADRE.—¡Je! Yo, sí. Yo sí lo sé.

(Toma la lupa y mira la postal con mucho interés.)

VICENTE.—*(Sin mirar a nadie.)* Dejadme solo con él.

MARIO.—*(Muy quedo.)* Ya, ¿para qué?

VICENTE.—¡Por favor!

(Lo mira con ojos extraviados.)

MARIO.—*(Lo considera un momento.)* Vamos a tu cuarto, madre. Ven, Encarna.

(Ayuda a su madre a levantarse. ENCARNA *se levanta y se dirige al pasillo.)*

LA MADRE.—*(Se vuelve hacia* VICENTE *antes de salir.)* ¡Hijo!...

(MARIO *la conduce.* ENCARNA *va tras ellos. Entran los tres en el dormitorio y cierran la puerta. Una pausa.* EL PADRE *sigue mirando su postal.* VICENTE *lo mira y se levanta. Despacio, va a su lado y se sienta junto a la mesa, de perfil al* PADRE, *para no verle la cara.)*

VICENTE.—Es cierto, padre. Me empujaban [40]. Y yo no quise bajar. Les abandoné, y la niña murió por mi culpa. Yo también era un niño y la vida humana no valía nada entonces... En la guerra habían muerto cientos de miles de personas... Y muchos niños y niñas también..., de hambre o por las bombas... Cuando me enteré de su muerte pensé: un niño más. Una niña que ni siquiera había empezado a vivir. *(Saca lentamente del bolsillo el monigote de papel que su padre le dio días atrás.)* Apenas era más que este muñeco que me dio usted... *(Lo muestra con triste sonrisa.)* Sí. Pensé esa ignominia para tranquilizarme. Quisiera que me entendiese, aunque sé que no me entiende. Le hablo como quien habla a Dios sin creer en Dios, porque quisiera que Él estuviese ahí... (EL PADRE *deja lentamente de mirar la postal y empieza a mirarlo, muy atento.)* Pero no está, y nadie es castigado, y la vida sigue. Míreme: estoy llorando. Dentro de un momento me iré, con la pequeña ilusión de que me ha escuchado, a seguir haciendo víctimas... De vez en cuando pensaré que hice cuanto pude confesándome a usted y que ya no había remedio, puesto que usted no entiende... El otro loco, mi hermano, me diría: hay remedio. Pero ¿quién puede terminar con las canalladas en un mundo canalla?

(Manosea el arrugado muñeco que sacó.)

---

[40] Es el momento, fundamental en la tragedia, de la anagnórisis o reconocimiento de la culpa. Vicente, que no ha conseguido borrar de su conciencia el peso de lo hecho en el pasado, proclama ahora ante El padre la verdad tanto tiempo ocultada.

EL PADRE.—Yo.

VICENTE.—*(Lo mira.)* ¿Qué dice? *(Se miran.* VICENTE *desvía la vista.)* Nada. ¿Qué va a decir? Y, sin embargo, quisiera que me entendiese y me castigase, como cuando era un niño, para poder perdonarme luego... Pero ¿quién puede ya perdonar, ni castigar? Yo no creo en nada y usted está loco. *(Suspira.)* Le aseguro que estoy cansado de ser hombre. Esta vida de temores y de mala fe, fatiga mortalmente. Pero no se puede volver a la niñez.

EL PADRE.—No.

(Se oyen golpecitos en los cristales. EL PADRE *mira al tragaluz con repentina ansiedad. El hijo mira también, turbado.)*

VICENTE.—¿Quién llamó? *(Breve silencio.)* Niños. Siempre hay un niño que llama. *(Suspira.)* Ahora hay que volver ahí arriba... y seguir pisoteando a los demás. Tenga. Se lo devuelvo.

(Le entrega el muñeco de papel.)

EL PADRE.—No. *(Con energía.)* ¡No!

VICENTE.—¿Qué?

EL PADRE.—No subas al tren.

VICENTE.—Ya lo hice, padre.

EL PADRE.—Tú no subirás al tren.

(Comienza a oírse, muy lejano, el ruido del tren.)

VICENTE.—*(Lo mira.)* ¿Por qué me mira así, padre? ¿Es que me reconoce? *(Terrible y extraviada, la mirada del* PADRE *no se aparta de él.* VICENTE *sonríe con tristeza.)*

No. Y tampoco entiende... *(Aparta la vista; hay angustia en su voz.)* ¡Elvirita murió por mi culpa, padre! ¡Por mi culpa! Pero ni siquiera sabe usted ya quién fue Elvirita. *(El ruido del tren, que fue ganando intensidad, es ahora muy fuerte.* VICENTE *menea la cabeza con pesar.)* Elvirita... Ella bajó a tierra. Yo subí... Y ahora habré de volver a ese tren que nunca para...[41].

(Apenas se le oyen las últimas palabras, ahogadas por el espantoso fragor del tren. Sin que se entienda nada de lo que dice, continúa hablando bajo el ruido insoportable. EL PADRE *se está levantando.)*

EL PADRE.—¡No!... ¡No!...

(Tampoco se oyen sus crispadas negaciones. En pie y tras su hijo, que sigue profiriendo palabras inaudibles, empuña las tijeras. Sus labios y su cabeza dibujan de nuevo una colérica negativa cuando descarga, con inmensa furia, el primer golpe, y vuelven a negar al segundo, al tercero... Apenas se oye el alarido del hijo a la primera puñalada, pero sus ojos y su boca se abren horriblemente. Sobre el ruido tremendo se escucha, al fin, más fuerte, a la tercera o cuarta puñalada, su última imploración.)

---

[41] Vicente comete el error trágico de creer que El padre ya no piensa en su hija muerta, cuando el espectador sabe que está obsesionado con ella. De ahí que, al oír cómo Vicente reconoce su culpabilidad en la muerte de Elvirita y su propósito de «volver al tren», lo impida con su fulminante reacción. Así aplica el 'castigo' que su hijo pedía y a la vez, en su locura, evita que éste suba al tren y sea el causante de ninguna víctima.

VICENTE.—¡Padre!...

(Dos golpes más, obsesivamente asestados por el anciano entre lastimeras negativas, caen ya sobre un cuerpo inanimado, que se inclina hacia delante y se desploma en el suelo. EL PADRE *lo mira con ojos inexpresivos, suelta las tijeras y va al tragaluz, que abre para mirar afuera. Nadie pasa. El ruido del tren, que está disminuyendo, todavía impide oír la llamada que dibujan sus labios.)*

EL PADRE.—¡Elvirita!...

(La luz se extingue paulatinamente. El ruido del tren se aleja y apaga al mismo tiempo. Oscuridad total en la escena. Silencio absoluto. Un foco ilumina a los investigadores.)

ELLA.—El mundo estaba lleno de injusticia, guerras y miedo. Los activos olvidaban la contemplación; quienes contemplaban no sabían actuar.

ÉL.—Hoy ya no caemos en aquellos errores. Un ojo implacable nos mira, y es nuestro propio ojo. El presente nos vigila; el porvenir nos conocerá, como nosotros a quienes nos precedieron.

ELLA.—Debemos, pues, continuar la tarea imposible: rescatar de la noche, árbol por árbol y rama por rama, el bosque infinito de nuestros hermanos. Es un esfuerzo interminable y melancólico: nada sabemos ya, por ejemplo, del escritor aquel a quien estos fantasmas han citado reiteradamente. Pero nuestro próximo experimento no lo buscará; antes exploraremos la historia de aquella mujer que, sin decir palabra, ha cruzado algunas veces ante vosotros.

ÉL.—El Consejo promueve estos recuerdos para ayudarnos a afrontar nuestros últimos enigmas.

ELLA.—El tiempo... La pregunta...

ÉL.—Si no os habéis sentido en algún instante verdaderos seres del siglo veinte, pero observados y juzgados por una especie de conciencia futura; si no os habéis sentido en algún otro momento como seres de un futuro hecho ya presente que juzgan, con rigor y piedad, a gentes muy antiguas y acaso iguales a vosotros, el experimento ha fracasado.

ELLA.—Esperad, sin embargo, a que termine. Sólo resta una escena [42]. Sucedió once días después. Hela aquí.

(Señala al lateral izquierdo, donde crecen las vibraciones luminosas, y desaparece con su compañero. El lateral derecho comienza a iluminarse también. Sentados al velador del café, ENCARNA *y* MARIO *miran al vacío.)*

ENCARNA.—¿Has visto a tu padre?

MARIO.—Ahora está más tranquilo. Le llevé revistas, pero no le permiten usar tijeras. Empezó a recortar un muñeco... con los dedos. (ENCARNA *suspira.)* ¿Quién es mi padre, Encarna?

---

[42] Esta «escena», como se la denomina explícitamente, en uso de un metalenguaje teatral, es claramente anticlimática, tal como Buero Vallejo prefiere para sus obras, por lo menos desde *Un soñador para un pueblo.* Tras los momentos de mayor tensión emocional, la presencia de un final más tranquilo permite vislumbrar la conciliación de las fuerzas desplegadas en la acción, como ocurre de forma muy clara en nuestra obra. Al mismo tiempo, ello permite asimismo el surgimiento de la conciencia crítica, que no se ve así arrastrada por el torrente de emociones.

ENCARNA.—No te comprendo.
MARIO.—¿Es alguien?
ENCARNA.—¡No hables así!
MARIO.—¿Y nosotros? ¿Somos alguien?
ENCARNA.—Quizá no somos nada.

(Un silencio.)

MARIO.—¡Yo lo maté!
ENCARNA.—*(Se sobresalta.)* ¿A quién?
MARIO.—A mi hermano.
ENCARNA.—¡No, Mario!
MARIO.—Lo fui atrayendo... hasta que cayó en el precipicio.
ENCARNA.—¿Qué precipicio?
MARIO.—Acuérdate del sueño que te conté aquí mismo.
ENCARNA.—Sólo un sueño, Mario... Tú eres bueno.
MARIO.—Yo no soy bueno; mi hermano no era malo. Por eso volvió. A su modo, quiso pagar.
ENCARNA.—Entonces, no lo hiciste tú.
MARIO.—Yo le incité a volver. ¡Me creía pasivo, y estaba actuando tremendamente!
ENCARNA.—Él quería seguir engañándose... Acuérdate. Y tú querías salvarlo.
MARIO.—Él quería engañarse... y ver claro; yo quería salvarlo... y matarlo. ¿Qué queríamos en realidad? ¿Qué quería yo? ¿Cómo soy? ¿Quién soy? ¿Quién ha sido víctima de quién? Ya nunca lo sabré... Nunca.
ENCARNA.—No lo pienses.
MARIO.—*(La mira y baja la voz.)* ¿Y qué hemos hecho los dos contigo?
ENCARNA.—¡Calla!

MARIO.—¿No te hemos usado los dos para herirnos con más violencia?

(Un silencio.)

ENCARNA.—*(Con los ojos bajos.)* ¿Por qué me has llamado?

MARIO.—*(Frío.)* Quería saber de ti. ¿Continúas en la Editora?

ENCARNA.—Me han echado.

MARIO.—¿Qué piensas hacer?

ENCARNA.—No lo sé. *(La prostituta entra por la derecha. Con leve y aburrido contoneo profesional, se recuesta un momento en la pared.* ENCARNA *la ve y se inmuta. Bruscamente se levanta y toma su bolso.)* Adiós, Mario.

(Se encamina a la derecha.)

MARIO.—Espera.

(ENCARNA *se detiene. Él se levanta y llega a su lado.* LA ESQUINERA *los mira con disimulada curiosidad y, al ver que no hablan, cruza ante ellos y sale despacio por la izquierda. El cuarto de estar se va iluminando; vestida de luto,* LA MADRE *entra en él y acaricia, con una tristeza definitiva, el sillón de su marido.)*

ENCARNA.—*(Sin mirar a* MARIO.) No juegues conmigo.

MARIO.—No jugaré contigo. No haré una sola víctima más, si puedo evitarlo. Si todavía me quieres un poco, acéptame.

ENCARNA.—*(Se aparta unos pasos, trémula.)* Voy a tener un hijo.

MARIO.—Será nuestro hijo. *(Ella tiembla, sin atreverse a mirarlo. Él deniega tristemente, mientras se acerca.)* No lo hago por piedad. Eres tú quien debe apiadarse de mí.

ENCARNA.—*(Se vuelve y lo mira.)* ¿Yo, de ti?

MARIO.—Tú de mí, sí. Toda la vida.

ENCARNA.—*(Vacila y, al fin, dice sordamente, con dulzura.)* ¡Toda la vida!

(LA MADRE *se fue acercando al invisible tragaluz. Con los ojos llenos de recuerdos, lo abre y se queda mirando a la gente que cruza. La reja se dibuja sobre la pared; sombras de hombres y mujeres que pasan; el vago rumor callejero inunda la escena. La mano de* ENCARNA *busca, tímida, la de* MARIO. *Ambos miran al frente.)*

MARIO.—Quizá ellos algún día, Encarna... Ellos sí, algún día... Ellos...

(Sobre la pared del cuarto de estar las sombras pasan cada vez más lentas; finalmente, tanto LA MADRE, MARIO *y* ENCARNA, *como las sombras, se quedan inmóviles. La luz se fue extinguiendo; sólo el rectángulo del tragaluz permanece iluminado. Cuando empieza a apagarse a su vez,* ÉL *y* ELLA *reaparecen por los laterales.)*

ÉL.—Esto es todo.

ELLA.—Muchas gracias.

TELÓN

GUÍA DE LECTURA

por Ana María Platas Tasende

Antonio Buero Vallejo. Foto archivo Espasa

CRONOLOGÍA

de Antonio Buero Vallejo

1916 El 29 de septiembre nace en Guadalajara. Es hijo de don Francisco Buero, capitán del Ejército, y de doña María Cruz Vallejo. En la biblioteca de su padre se aficionó a los libros de literatura y de pintura, la primera de sus vocaciones. Lee y dibuja desde muy temprana edad. Su padre le lleva con frecuencia al teatro y él mismo juega a ser director y actor en un teatrito de juguete.

1926-1933 Estudia el Bachillerato en Guadalajara y Larache (1927-1928). Continúa la que ha de ser a lo largo de su vida una cadena de lecturas sin fin, desde el *Pinocho,* de Colodi o la *Alicia en el país de las maravillas,* de Lewis Carroll a Homero, Platón, Shakespeare, Swift, Goethe, Dumas, Hugo, Poe, Dickens, Paul Feval, Verne, Stevenson, Conan Doyle, Leblanc, Wells, Ibsen, Shaw... Entre los españoles frecuenta pronto a Cervantes, Lope, Calderón, Bécquer, Galdós... Su interés por el teatro se completa en colecciones como «La Novela Teatral» y «El Teatro Moderno». Ya adolescente continúa pintando y recortando escenarios y personajes para sus historias. Se sintió, entonces y siempre, atraído por el pensamiento, la ciencia y la política: Cristo, Buda, Marx, Schopenhauer, Unamuno, Ortega, Freud, Jung, Einstein, Heisenberg... En 1932 consigue el primer premio de un concurso literario para estudiantes de Bachillerato y Magisterio de Guadalajara por la narración *El único hombre.* Una crisis religiosa le hace abandonar las creencias en las que había sido educado.

1934-1936 Inicia sus estudios en la Escuela de Bellas Artes de San Fernando, en Madrid, adonde se traslada también su familia. Pinta, acude al teatro, lee, sobre todo a los del 98 (Valle-Inclán, Unamuno, Machado, Baroja) y a los del 27 (Lorca, Alberti...). Se aproxima al marxismo. Cuando comienza la guerra civil dibuja y escribe para la sección de propaganda de la FUE (Federación Universitaria Española). Su padre es fusilado por los republicanos durante el asedio de Madrid.

1937-1938 Se moviliza su quinta y sirve a la República en Sanidad. En el frente le encargan dibujos y textos para los periódicos. Conoce a Miguel Hernández en un hospital de Benicasim.

1939 Cuando termina la guerra, se encuentra en Valencia. Pasa casi un mes en el campo de concentración de Soneja (Castellón). De nuevo en Madrid, es detenido, sometido a juicio sumarísimo y condenado a muerte «por adhesión a la rebelión».

1939-1946 Transcurridos ocho meses, la sentencia le fue conmutada por pena de prisión perpetua. Le trasladan de una cárcel a otra. En la de Conde de Toreno pinta el conocido retrato de Miguel Hernández. En marzo de 1946 se le concede la libertad condicional, con forzoso destierro de Madrid. Se instala muy cerca, en Carabanchel Bajo.

1946 Sigue pintando, pero compone, en una semana de agosto, *En la ardiente oscuridad,* la primera de sus tragedias, en la que ya la realidad se mezcla con los símbolos y en la que trata los temas de la ceguera, la acción y la contemplación, la búsqueda de la verdad y de la libertad, que han de convertirse en constantes de su teatro. Después de tantos años sin practicar disciplinadamente la pintura, acaba decantándose por la literatura.

1947-1948 Un indulto total le permite vivir en Madrid. Escribe *Historia de una escalera* y *Las palabras en la arena.* Esta última es su única obra en un acto y también la única de tema bíblico.

1948 Se convoca por primera vez después de la guerra civil, y tras quince años de suspensión, el premio de teatro Lope de Vega, que conlleva la puesta en escena de la obra galardonada.

1949 Aunque *En la ardiente oscuridad* llega también a las últimas votaciones, *Historia de una escalera* obtiene el Lope de Vega. Se estrenó el 14 de octubre en el teatro Español de Madrid. Obra trágica de realismo simbólico y temática social y existencial, ambientada en el Madrid de antes y después de la guerra, se convierte en el punto de arranque del resurgimiento del teatro español en la posguerra.

1950 El 1 de diciembre se estrena, en el teatro María Guerrero de Madrid, *En la ardiente oscuridad.*

1952 *La tejedora de sueños,* basada en el mito homérico de la espera de Penélope y el regreso de Ulises a Ítaca se estrena, el 11 de enero, en el teatro Español.

El 21 de mayo se pone en escena, en el teatro Infanta Isabel de Madrid, *La señal que se espera,* con su carga de misterio e irrealidad. El 4 de diciembre, en el Riviera Auditorium de Santa Bárbara (California), se representa por primera vez fuera de España una obra de Buero: *En la ardiente oscuridad.*

1953 En el teatro Alcázar de Madrid se estrenan, el 10 de enero, *Casi un cuento de hadas,* basada en un cuento de Perrault, y el 9 de diciembre, *Madrugada,* obra de problemática existencial que se atiene férreamente a las tres unidades de la preceptiva clásica y hace coincidir el tiempo de la acción con el de la representación.

1954 La censura no autoriza el estreno de *Aventura en lo gris,* parábola política ubicada en un país inconcreto. *Irene o el tesoro,* donde aparece por primera vez un personaje con desequilibrio mental, se representa en el teatro María Guerrero el 14 de diciembre.

1956 El 20 de septiembre se estrena, en el teatro María Guerrero, *Hoy es fiesta,* nueva mirada a las pobres gentes del Madrid de la posguerra.

1957 En el teatro Reina Victoria de Madrid, el 5 de noviembre, estreno de *Las cartas boca abajo,* con Anita, personaje mudo que contribuye al descubrimiento de la verdad.

1958 *Un soñador para un pueblo,* en torno a la figura de Esquilache, es su primera tragedia histórica y su primera incursión en el uso del escenario simultáneo; se estrena en el teatro Español el 18 de diciembre. Buero publica el ensayo, básico para el conocimiento de su poética, «La tragedia», en *El teatro. Enciclopedia del arte escénico* (ed. de Guillermo Díaz-Plaja, Noguer, Barcelona, 1958, págs. 63-87).

1959 Se casa con la actriz Victoria Rodríguez.

1960 Nace su hijo Carlos. En *Las Meninas,* con Velázquez como protagonista, indaga sobre la libertad en la creación artística; es la obra con la que alcanza el mayor éxito de público hasta ese momento. Se estrena en el teatro Español el 9 de diciembre.

1961 Nace su hijo Enrique. En el teatro Español se representa su versión de la obra de William Shakespeare *Hamlet, príncipe de Dinamarca,* el 15 de diciembre. La censura impedirá la puesta en escena de su versión de *Madre Coraje y sus hijos,* de Bertolt Brecht, escrita en este año.

1962 El 16 de noviembre, en el teatro Goya de Madrid se estrena *El concierto de San Ovidio,* obra histórica sobre músicos ciegos ambientada en el siglo XVIII.

1963 Estreno de *Aventura en lo gris,* el 1 de octubre, en el teatro Club Recoletos de Madrid, dirigida por el autor. Firma, con cien intelectuales más, la protesta por los malos tratos de la policía a varios mineros asturianos en huelga. Solapadas represalias hacen que no pueda volver a estrenar hasta 1967. Fallece su madre.

1964 La censura impedirá la puesta en escena de *La doble historia del doctor Valmy,* duro alegato sobre la tortura, escrita en este año.

1966 Se estrena, el 6 de octubre, su versión de *Madre Coraje y sus hijos,* de Brecht, en el teatro Bellas Artes de Madrid. Escribe *El tragaluz.*

1967 Estreno, el 7 de octubre, de *El tragaluz* en el teatro Bellas Artes de Madrid, dirigido por José Osuna. El éxito, tanto de crítica como de público, mantuvo la obra en cartel hasta el 16 de junio de 1968.

1968 Se repone *Historia de una escalera* el 31 de marzo en el teatro Marquina de Madrid. El 22 de noviembre se estrena la versión inglesa de *La doble historia del doctor Valmy,* en el Gateway Theatre de Chester, Inglaterra. La revista *Primer Acto* publica *Mito,* libreto para una ópera, nunca representada, que el dramaturgo había hecho por encargo de Cristóbal Halffter.

1970 El 6 de febrero se pone en escena en el teatro Reina Victoria *El sueño de la razón,* protagonizada por un Francisco de Goya ya aislado en su sordera. Se estrena, por primera vez en español, *La doble historia del doctor Valmy* en Estados Unidos (Middlebury College, Vermont).

1971 Es elegido miembro de la Real Academia Española. En el teatro Lara de Madrid se estrena, el 17 de septiembre, *Llegada de los dioses,* con temas tan buerianos como la tortura, la ceguera y la guerra.

1972 El 21 de mayo lee su discurso de ingreso en la Real Academia Española, «García Lorca ante el esperpento».

1973 Reúne en *Tres maestros ante el público* tres ensayos ya publicados: «De rodillas, en pie, en el aire», sobre Valle-Inclán; «El espejo de *Las Meninas»* y «García Lorca ante el esperpento».

1974 El 15 de enero se representa *La Fundación,* sobre la represión política y sus consecuencias, en el teatro Fígaro de Madrid.

1976 El 29 de enero se estrena en España *La doble historia del doctor Valmy,* en el teatro Benavente de Madrid.

1977 El 20 de septiembre, en el teatro Bellas Artes, se pone en escena *La detonación,* protagonizada por los recuerdos un tanto alucinados de Larra en los últimos segundos de su agonía.

1979 Se estrena en el teatro Lara de Madrid, el 2 de octubre, *Jueces en la noche,* lúcido acercamiento a la realidad actual, incluso a la violencia del terrorismo. La Universidad de Murcia publica *El terror inmóvil,* inédita desde hacía treinta años.

1980 Recibe la Medalla de Plata del Círculo de Bellas Artes de Madrid y el Premio Nacional de Teatro por el conjunto de su obra.

1981 El 10 de septiembre, en el teatro Reina Victoria, se estrena *Caimán,* nuevo fresco sobre el tiempo contemporáneo visto desde un futuro próximo. El 14 de octubre se repone *Las cartas boca abajo* en el teatro Lavapiés de Madrid.

1982 En el teatro María Guerrero se pone en escena, el 26 de enero, su versión de *El pato silvestre,* de Henrik Ibsen.

1984 El 6 de agosto se estrena, en el teatro Victoria Eugenia de San Sebastián, *Diálogo secreto,* tragedia fundamentada en la mentirosa vida de un crítico de arte que padece daltonismo.

1986 En el teatro Español se repone, el 25 de abril, *El concierto de San Ovidio.* Fallece su hijo menor en un accidente de circulación. El autor recibe el premio Pablo Iglesias. El 18 de diciembre se estrena, en el teatro Maravillas de Madrid, *Lázaro en el laberinto,* donde se retoma el tema de la mentira oculta en el pasado. Se otorga a Buero Vallejo el premio Miguel de Cervantes, que recae por vez primera en un dramaturgo.

1987 Es nombrado Hijo Predilecto de Guadalajara.

1988 Se le concede la Medalla de Oro de la Comunidad de Castilla-La Mancha.

1989 En el teatro Arriaga de Bilbao, el 18 de agosto, se estrena *Música cercana,* que aborda temas actuales como el narcotráfico y la revolución en un país latinoamericano.

1991 Sale a la luz *Tentativas poéticas,* puñado de poemas escritos desde el inicio de su carrera. Se repone en Valencia *El sueño de la razón.*

1993 Se publica *Libro de estampas,* dibujos y textos del autor. Se le concede la Medalla de Oro al Mérito en las Bellas Artes.

1994 El 15 de septiembre se repone en el teatro María Guerrero *El sueño de la razón* con el mismo montaje que en Valencia; posteriormente fue llevado al famoso teatro Dramaten de Estocolmo. El 23 del mismo mes se estrena *Las trampas del azar* en el teatro Juan Bravo de Segovia; aquí la tragedia surge, como tantas veces, de la mentira y, en concreto, del progresivo emponzoñamiento del protagonista. La Editorial Espasa Calpe edita la *Obra completa* del autor. En ella aparece el drama *Una extraña armonía,* escrito en 1956 pero inédito y no estrenado hasta el momento y, además de todo su teatro, se recogen sus textos narrativos, sus poemas y sus ensayos.

1996 Se le otorga el premio Nacional de las Letras Españolas, concedido por primera vez a un autor de teatro. El 30 de septiembre la Comunidad de Madrid rinde homenaje al autor en su 80 aniversario.

1997 *El tragaluz* se repone el 15 de enero en el teatro Lope de Vega de Sevilla, el 26 de enero en el teatro Antonio Buero Vallejo de Alcorcón y el 11 de febrero en el teatro Maravillas de Madrid; tiempo después la compañía sale en gira por diversas ciudades españolas. Buero es distinguido con la Medalla de Honor de la Universidad Carlos III de Madrid, con la Medalla de Oro de la provincia de Guadalajara, con la Medalla de la Universidad de Castilla-La Mancha y con el premio a la Creación Literaria de la Comunidad de Madrid. El gobierno venezolano le concede la Banda de Honor de la Orden de Andrés Bello. La Comunidad de Valencia y el Consejo Mundial para la Formación Profesional le otorgan el Premio Literario de la Formación Profesional.

1998 Se prepara el estreno de una nueva obra del autor: *Misión al pueblo desierto.*

DOCUMENTACIÓN COMPLEMENTARIA

1. Buero Vallejo y la tragedia

1.1. *Sobre la conjunción de ética y estética en la obra trágica*

Que la tragedia envuelva o no lecciones morales, es cuestión debatida y, con frecuencia, negada por escritores relevantes. Para éstos representaría un hecho estético sin otra consecuencia que la de proporcionar al espectador emociones estéticas. Y claro es que las tragedias son obras de arte, y que su primordial función es ésa. Pero la belleza estética no es una categoría divorciada por fuerza de la ética. Ni tampoco la emoción que nos causa. Lo estético lleva implícitos con gran frecuencia valores éticos. Si ésta es cosa difícil de advertir en muchas obras de arte, es clara, en cambio, en la tragedia. Y no sólo por lo que respecta a ciertas intenciones generales del argumento, ya que las obras trágicas de ayer y de hoy suelen presentarse cuajadas de frases y consideraciones explícitas que no dejan ninguna duda acerca del propósito —o preocupación— moral del autor.

(Antonio Buero Vallejo, «La tragedia», en AA. VV., *El teatro. Enciclopedia del arte escénico,* Noguer, Barcelona, 1958, y en *Obra Completa* —en adelante *O.C.*—, ed. crítica de Luis Iglesias Feijoo y Mariano de Paco, Espasa Calpe, Madrid, 1994, tomo II, págs. 638-639).

1.2. *Sobre el destino*

Buero niega que el destino *(fatum)* sea una fuerza irreversible que domina al héroe trágico. Considera, por el contrario, que el hombre actúa en libertad y que de sus errores depende su final:

> Para los griegos, y también para nosotros, el problema es más vasto. La tragedia no sólo es temor, sino amor. Y no sólo catástrofe, sino victoria. Desde sus mismos albores en Atenas muestra una relación orgánica entre necesidad y libertad, de la que, se ignora por qué causa, sólo el primer miembro ha venido a considerarse significativo. No obstante, se nos ha enseñado desde Esquilo que el destino no es ciego ni arbitrario, y que no sólo es en gran parte creación del hombre mismo, sino que, a veces, éste lo domeña. [...] Hoy como entonces es fatal, mas no arbitrario, que los hijos paguen culpas de los padres, o que «paguen justos por pecadores»; como también lo es el pagar por las culpas propias de un modo u otro, tarde o temprano. Es fatal, en suma, que la violación del orden moral acarree dolor. Al comienzo de todo encadenamiento trágico de catástrofes, los griegos ponen un acto de libertad humana y no un decreto del destino.

(*Íd.*, *íd.; O.C.*, págs. 639-640).

1.3. *Sobre lo positivo en la tragedia, el optimismo trágico, la esperanza*

> El auténtico pesimismo es, aproximadamente, lo contrario de la tragedia. El pesimismo es negador, mientras que la tragedia propugna toda clase de valores [...]. Sólo en un sentido puede afirmarse que la tragedia sea pesimista: en el de reconocer la realidad de los aspectos sombríos que

plantea. Se trata, pues, de un pesimismo provisional por el que se pretenden trazar sobre bases más ciertas los caminos positivos del ser humano [...]. Pues la tragedia nos invita a aquella actitud vital que no teme enfrentarse con los mayores horrores y nos propone que adquiramos el arrojo suficiente para sacar de ellos una postura afirmativa. Nos propone *conservar el optimismo* sin negar ninguna negrura de la vida, en vez de propagar la peligrosa tontería de que el mundo es, a fin de cuentas, un valle de delicias. La tragedia propone la fundación del optimismo en la verdad y no en la mentira; en el reconocimiento de todas las cosas y no en el escamoteo de las peores. Propone el único optimismo posible, si es que esta virtud ha de ser una gran realidad del hombre y no una falacia sin consistencia.

(Íd., íd.; O.C., págs. 646-647).

Pese a las reiteradas y desanimadoras muestras de torpeza que nuestros semejantes nos brindan de continuo, la capacidad humana de sobreponerse a los más aciagos reveses y de vencerlos inclusive, difícilmente puede ser negada, y la tragedia misma nos ayuda a vislumbrarlo. Esa fe última late tras las dudas y los fracasos que en la escena se muestran; esa esperanza mueve a las plumas que describen las situaciones más desesperadas. Se escribe porque se espera, pese a toda duda. Pese a toda duda, creo y espero en el hombre, como espero y creo en otras cosas: en la verdad, en la belleza, en la rectitud, en la libertad. Y por eso escribo de las pobres y grandes cosas del hombre; hombre yo también de un tiempo oscuro, sujeto a las más graves, pero esperanzadas interrogantes.

(«El autor y su obra. El teatro de Buero Vallejo visto por Buero Vallejo», *Primer Acto,* 1, abril 1957; *íd., íd., O.C.,* págs. 411-412).

2. Buero Vallejo y *El tragaluz*

2.1. *Sobre los investigadores*

Para mí, *El tragaluz* sería inconcebible sin estos personajes. No entiendo esta obra, me resulta literalmente incomprensible despojada de los «investigadores». E incluso diría algo más raro: casi son para mí más importantes los investigadores que los demás elementos de la obra, a pesar de la importancia que la parte narrada en nuestro presente tiene dentro de ella. Quiero decir que, a efectos de lo que en realidad es *El tragaluz,* los investigadores son insustituibles y la historia investigada no lo es, ya que pueden encontrarse otras historias de significado semejante al de esta.

(Entrevista con Ángel Fernández-Santos, *Primer Acto,* 90, noviembre 1967, págs. 7-15).

2.2. *Sobre el hecho de «tomar el tren»*

Yo me he limitado a describir el caso concreto de unas personas «que no pudieron tomar el tren» al lado de otras que sí lo tomaron, como es el caso del hermano mayor. [...] Hablo de «tomar el tren» en el sentido que realmente le corresponde: en el de «tomar el tren de la vida» y no en ningún sentido restringido o politizado. Se trata de seguir viviendo y actuando, de no quedarse en la cuneta, detenido en el tiempo y sin acceso a la vida y a los hechos. Yo no censuro el hecho de «tomar el tren», creo que esto es evidente; es más, creo que es necesario que todo el mundo lo tome. Considero que «el tren de la vida y la acción» debe tomarse... [...] Es un derecho y un deber. Lo que ocurre es que hay muchas maneras de «tomar el tren» y muchas maneras de «viajar en él».

(Ídem).

2.3. *Sobre Mario y Vicente*

El hermano menor procede rectamente, pero si lo llamamos «bueno» cometemos una esquematización ingenua. Es un hombre que tiene sus flaquezas, sus torpezas, sus frustraciones y puntos oscuros [...]. Lo que sí es cierto es que este personaje, aunque tenga nobles ingredientes, tiene también su parte negativa y acaso su parte negativa es, justamente, la de haberse empecinado en no tomar de ninguna de las maneras «el tren» [...], aunque, por razones diversas, me quedaría con el menor, si me obligan a escoger entre los dos hermanos. Sin compartir todas sus reacciones las siento más próximas a mí que las del hermano mayor. [...] el tipo ideal para una conducta equilibrada hubiera sido un hombre intermedio entre los dos hermanos, una simbiosis de ambos, un setenta por ciento del menor y un treinta del mayor.

(Ídem).

3. *EL TRAGALUZ* Y SUS CRÍTICOS

3.1. *Sobre la recuperación del pasado*

Al comienzo, *El tragaluz* se nos presenta como una obra de ciencia-ficción. Dos investigadores, Él y Ella, un hombre y una mujer de un siglo futuro, lejano, se dirigen a nosotros —supuestos espectadores también de ese siglo— para darnos a conocer un experimento. En esa época, merced a un extraordinario desarrollo científico, se ha hecho realidad un antiguo sueño del hombre: *recobrar* el pasado, reconstruir hechos y figuras del pasado, detectando sus huellas misteriosamente preservadas en el espacio. Él y Ella, por ejemplo, han logrado detectar una historia ocurrida en España, en la segunda mitad del siglo XX. Esa historia —«oscura y singular»— nos va a ser mostrada de una forma peculiarísima: los detectores no sólo captan acciones, sino también pensamientos y sentimientos, convertidos en imágenes, de suerte que el experimento nos va a enfrentar con una *realidad total,* en la que la frontera del mundo objetivo y el mundo subjetivo es dudosa, escurridiza, a menudo inexistente.

(Ricardo Doménech, Introducción a Antonio Bueno Vallejo, *El concierto de San Ovidio, El tragaluz,* Clásicos Castalia, Madrid, 1971, págs. 28-29).

3.2. *Sobre los investigadores*

Pero otro aspecto nos interesa ahora, el de la función de los Investigadores, cuya presencia fue tan debatida, pero que son del todo indispensables para el adecuado desarrollo de este drama. Hacen éstos posible un *perspectivismo histórico* de intención crítica mediante el cual los sucesos actuales son alumbrados desde el futuro, como en las obras históricas el pasado servía como esclarecedor del presente.

En la proyección histórica hacia el futuro se advierten dos notables vertientes: somos responsables de cuanto hagamos, pero cabe tener la esperanza de una superación en tiempos venideros. Es inconcebible, bajo este punto de vista, que *El tragaluz* fuese interpretado por algunos como obra de carácter pesimista. Dentro del problematismo individual que la esperanza trágica siempre encierra, se trata de un drama esencialmente optimista por su propia concepción dramática, porque los Investigadores provienen de un tiempo y de un lugar en los que *ya* se han superado numerosas deficiencias actuales.

(Mariano de Paco, «Procedimientos formales y simbólicos en el teatro de Buero Vallejo», en Cristóbal Cuevas García [ed.], *El teatro de Buero Vallejo. Texto y espectáculo. Actas del III Congreso de Literatura Española Contemporánea,* Anthropos/Universidad de Málaga, Barcelona, 1990, págs. 53-54).

3.3. *Sobre los personajes*

El origen de la locura del Padre está en relación —y esto a un doble nivel: social y ontológico— con el origen mismo de la división entre Mario y Vicente. La investigación, el experimento, nos conduce a ese origen: Vicente subió a un tren real y se salvó, pero ese acto de salvación individual causó la muerte de una víctima inocente, Elvirita, la hermanita pequeña. Esa víctima inocente vuelve a vivir y a ser sacrificada en el drama, encarnada en Encarna, amante de Vicente y novia de Mario, utilizada por los dos, aunque de distinta manera. Sólo el Padre, desde su locura, descubre en ella su condición de víctima al identificarla con Elvirita, la hija sacrificada.

(Francisco Ruiz Ramón, *Historia del teatro español. Siglo XX,* Cátedra, Madrid, 1975^2, pág. 372).

3.4. *Sobre el tiempo y el espectador*

El público real, al aceptar los supuestos que definen al espectador implícito —o, si queremos, al asumir el estatuto del narratario— pierde su contemporaneidad y se ve despojado de sus circunstancias, para ser investido con una fantasmagórica personalidad de hombre del futuro, a partir de la cual goza de una insólita perspectiva para juzgar los hechos ofrecidos por el experimento. Ahora bien, como éstos ocurren en 1967 y en Madrid, lo que tienen que juzgar desde el futuro es su propio presente *real,* su propio tiempo y, en definitiva, su propio yo. Los seres del siglo XX —y él también por tanto— son vistos desde la inquietante perspectiva de estar ya muertos. Las circunstancias de la vida actual se relativizan desde el mismo momento en que la obra comienza. Hay, pues, un constante juego dialéctico entre el destinatario implícito y el empírico, entre el espectador virtual y el real. Este no perderá nunca del todo la conciencia de su yo —es imposible— pero, al entrar en el mundo ficticio del drama, ese yo se duplica de una manera irreversible: es y no es él mismo o, dicho de otro modo, es él y a la vez es otro: el futuro contemporáneo de los investigadores. De esta forma, la disposición de la obra consigue ya, en este primer nivel, transmitir con eficacia lo que va a ser una de sus ideas básicas: cada uno es a la vez otro.

(Luis Iglesias Feijoo, *La trayectoria dramática de Antonio Buero Vallejo,* Universidad de Santiago de Compostela, 1982, págs. 346-347).

3.5. *Sobre el final de la obra y el futuro de los hombres*

Buero sugiere que un cataclismo histórico, como la guerra civil española, puede y debería originar una nueva evaluación moral colectiva y proyectar al hombre a una posición desde la que comenzase a remodelar su naturaleza. Dado que cualquier momento es siempre propicio para el egoísmo, y el oportunista, el explotador y el pequeño dictador han manipulado el mundo desde tiempo inmemorial, sólo una autorrenovación completa puede salvar una civilización podrida. En poder de cada hombre está iniciar esa renovación y, a menos que ejercite ese poder, siempre habrá Vicentes y la historia será una infinita proyección de su fraudulento pasado. Por ello la última palabra de Mario es tan significativa: «Ellos». Es la solución de la obra y es la solución del problema. «Ellos» es la pregunta «¿Quién es ése?» resuelta ahora afirmativamente. Es la suma de Él y Ella, la gente del futuro. Son Mario y Encarna fundiéndose en ese futuro a través de su propia reconciliación. Cuando el cambio del «yo» al «ellos» tiene lugar, Él y Ella no pueden tener ya nada que decir. El experimento ha terminado. El hombre ha iniciado su conquista de la historia.

(John W. Kronik, «Buero Vallejo's *El tragaluz* and Man's Existence in History», *Hispanic Review,* 41, 2, 1973, pág. 396. La traducción es mía).

4. La recepción de *El tragaluz*

Sin los personajes del futuro, la obra discurriría igual. Sólo la actitud del espectador, una actitud que se desea crítica, cambiaría. Sería una actitud compasiva, de padecer con los personajes. De estar dentro y no fuera de la acción y de su tiempo. Es, pues, el tratamiento más un ardid que una función exigida por la naturaleza del drama. [...] El hallazgo del tragaluz, mundo de sombras, tren por el que viajan las penas y recuerdos fugitivos del padre, los remordimientos y angustias del hijo, es una hermosa idea teatral. Al contrario que en la caverna platónica, donde los que allí yacían no podían imaginar la luz y la realidad del exterior, el padre y los hijos, en su caverna del semisótano, son incapaces de huir de la cruel luz de pasado. Bella y profunda idea, eficaz sugestión plástica, argucia de gran autor de teatro que ha descubierto ya que en su arte, palabra y plástica, movimiento y quietud, discusión y silencio, son elementos imprescindibles si se aspira, como Buero Vallejo en *El tragaluz,* a un teatro total.

(Lorenzo López Sancho, «*El tragaluz* de Buero Vallejo, en el Teatro Bellas Artes», *ABC,* 10 de octubre de 1967).

En unos años de triunfalismo económico, cuando todo parece olvidado, Buero viene a recordarnos con su obra que el pleito sigue vigente, que hay víctimas en la sombra del anónimo. Pero esto sería lo menos importante de su *Tragaluz.* Lo verdaderamente actual, dramático y delator es el enfrentamiento de actitudes entre el hermano que se integra, que triunfa, que entra en el juego cínicamente, y el otro hermano, el que vive al margen, no participa, no olvida, no perdona. Este enfrentamiento da lugar a las grandes tensiones dramáticas de la obra y, sobre todo, recoge dos actitudes muy ciertas que se han perpetuado a través de varias generaciones de españoles. Al final de la obra, el autor, en un juego admirable de su finura psicológica y dramática, hace que el hermano-conciencia se vuelva del revés a sí mismo, comprenda lo que en su conducta hay de poco generoso, de intransigente, de sequizo moralmente. Esto redondea al personaje —admirablemente creado por José María Rodero— y apunta una actitud redentora y hermanadora por parte del autor. *El tragaluz* es, finalmente, la obra más importante que se haya hecho en teatro —y quizá también con respecto a la novela e incluso el ensayo— sobre la guerra civil de España.

(Francisco Umbral, «Teatro y sociedad. Cinco momentos clave de la vida española, en otras tantas comedias», *Ya,* 6.771, 9 de noviembre de 1969, s. p.).

5. ... Treinta años después

Treinta años después. Y hoy buena parte de ese paisaje siniestro que la sombría mirada de Buero descubre puede ser aún identificable; con otros matices, pero identificable. Los signos de perturbación moral y política que el hermano bueno arroja a la cara del hermano malo —coche, amoríos, riqueza relativa...— pierden entidad frente a realidades actuales mucho más sórdidas. *El tragaluz* reúne todos los elementos dramáticos y sociales que configuran la angustiosa tragedia desdivinizada, propia de Buero: conciencia de culpa, necesidad de expiación, soledad del perdedor, espíritu de resistencia, emotividad popular.

(Javier Villán, «La solidez del compromiso», *El Mundo,* 2.645, 13 de febrero de 1997, pág. 50).

Ahora, tantos años después, parece que todo el juego temático podría prescindir de esos dos personajes presentadores encargados de distanciarlos. Si lo hiciera, si esa familia se moviera en un presente absoluto, sólo quedaría el melodrama. Lo que categoriza la obra como una metáfora de metáforas es la presencia de lo fantástico, de lo irreal. La obra discurriría igual, decíamos en la crítica inmediata al estreno. No. Realmente no resultaría igual sino inferior. La complejidad del tratamiento distanciador es la que hace una construcción importante, ambiciosa, la base melodramática de lo que sólo sería un suceso familiar.

(Lorenzo López Sancho, «*El tragaluz* de Buero Vallejo, gran distanciación distanciada», *ABC,* 29.678, 13 de febrero de 1997.)

Tres décadas después de su primera puesta en escena *[El tragaluz]* conserva intactos sus significados iniciales y reaparece lozana, enriquecida con las nuevas perspectivas que los años le sumaron. El hecho de que la obra se reponga sin cambio alguno sobre el texto inicial muestra la confianza del autor en que las situaciones y los sentidos de ayer sean todavía válidos para aquellos que ven la guerra civil española como un episodio histórico. *El tragaluz* va mucho más allá de sí misma, de sus fechas y de sus circunstancias: es una obra clásica que rezuma valores a los que los seres humanos no pueden renunciar. Buero demostró siempre desde los escenarios su preferencia por un teatro ético y estético que conjugase la complejidad de la construcción artística, la palabra recia y justa y la profundidad moral.

(Ana María Platas Tasende, «Valores permanentes en *El tragaluz*», *Revista Galega do Ensino,* 15 de abril de 1997, pág. 448. Traducción de la autora).

TALLER DE LECTURA

¡Malditos sean los hombres que arman las guerras!

*

Un ojo implacable nos mira, y es nuestro propio ojo

ANTONIO BUERO VALLEJO, *El tragaluz*

Una obra de teatro es una obra literaria que traspasa los límites de la literatura, pues en ella el texto escrito está pensado para la puesta en escena. Ese texto escrito es el *texto dramático* o *teatral,* en el que se distinguen claramente por su tipografía y por su función el *texto dialogado (texto primario)* del *texto de las acotaciones* o *didascalias (texto secundario),* ambos estrechamente entrelazados. En este último, aunque no sólo en él, residen la mayor parte de las indicaciones para el montaje del espectáculo.

El texto teatral proporciona a través de diálogos y didascalias los datos suficientes para que, por medio de la lectura, se pueda imaginar, si no toda la riqueza pretendida por el dramaturgo o conseguida por el director de escena, sí lo esencial de la representación.

Las indicaciones y sugerencias siguientes suponen el conocimiento previo tanto de la Introducción como de la Documentación complementaria y van encaminadas precisamente a una lectura que ayude a imaginar la puesta en escena y a desentrañar los aspectos más complejos de EL TRAGALUZ.

1. LA TRAYECTORIA DE BUERO VALLEJO Y *EL TRAGALUZ*

Dentro de su evidente diversidad, la obra de Buero Vallejo se caracteriza por una unidad que arranca de ciertas preocupaciones temáticas, observables en el enfoque ético, y del cuidado constante en la construcción del discurso dramático, manifiesto en la atención estética común a sus producciones.

En una trayectoria tan larga sería imposible no detectar algunos cambios, en este caso especialmente técnicos y estructurales. Más que de diferentes etapas puede hablarse quizá de una evolución continua en la que ciertos temas y ciertos rasgos afloran primero y algunos, inicialmente en germen, van desarrollándose y uniéndose a otros nuevos.

El autor, siempre atento a los progresos de la dramaturgia occidental, ha sabido llevar a sus obras las novedades que más se avenían con sus ideales y objetivos y se ha mantenido, al paso de los años, en primera línea de una experimentación, si a veces atrevida, nunca tan osada como para romper la reconocida coherencia de su teatro, siempre modelo de sólida y perfecta arquitectura.

1.1. Desde 1949 *(En la ardiente oscuridad, Historia de una escalera)* a 1957 *(Las cartas boca abajo)* su producción se distingue por el predominio de lo existencial y el interés centrado en los problemas individuales y familiares, sin menosprecio de los sociales. Las obras, de *forma cerrada* y de un evidente realismo no exento de símbolos, se adaptan al espacio único del escenario tradicional y la acción avanza a la manera clásica, cerrándose sobre sí misma camino del punto de mayor tensión *(clímax).* Sin embargo, muchas de las peculiaridades que las caracterizarán más tarde empiezan a evidenciarse (la oposición activos / contemplativos, el tema de la ceguera, el rechazo de la mentira y de la mezquindad, la crítica de la guerra...). De estos años son también tragedias tan distintas entre sí como *La tejedora de sueños, Aventura en lo gris, Hoy es fiesta* o *Madrugada.*

1.2. De 1958 a 1967 (EL TRAGALUZ) no desaparece el enfoque existencial, pero se atiende a la responsabilidad social y política del individuo, es decir, se muestran los efectos de sus actos sobre el mundo que lo rodea. El deseo de denunciar la mentira, el abuso del poder, la corrupción, la injusticia, la tortura, la guerra y la explotación en las adversas circunstancias de la dictadura franquista lleva al dramaturgo a cultivar la tragedia histórica y a incrementar el uso de símbolos, alejándose de la menos compleja concepción realista de sus comienzos. Surgen así las obras *Un soñador para un pueblo, Las Meninas, El concierto de San Ovidio, La doble historia del doctor Valmy* y EL TRAGALUZ.

Por esta vía, la distancia que separa el presente del pasado le permite sortear con mayor facilidad la censura; los mensajes que se desprenden de las vicisitudes vividas por los personajes históricos no son sino encarnaciones de problemas recientes o actuales que las mentes lúcidas comprenden.

El dramaturgo prefiere ahora la *forma abierta,* resultante de la aplicación de una técnica funcional. Clasificar dentro de un grupo u otro las obras de Buero no es sencillo: *Historia de una escalera,* con escenario único tiende, por el tratamiento del tiempo, a la forma abierta, y EL TRAGALUZ, con escenario múltiple, tiende, por el movimiento climático *in crescendo,* a la forma cerrada. Desde 1958 el escenario, liberado de su servidumbre al principio de verosimilitud, se hace múltiple, se representan escenas simultáneas y se fragmenta y disemina la acción en diversos tiempos y espacios. El tratamiento del tiempo, ya sorprendente en Buero desde *Historia de una escalera,* se complica con retrospecciones y recursos que favorecen la condensación.

Comienza asimismo el uso de narradores y se incrementa la participación del público en el punto de vista íntimo de los protagonistas, visible desde su primera obra, *En la ardiente oscuridad,* por la ausencia de luz en escenario y sala como argucia con la que se traspasaba momentáneamente la ceguera de los personajes a los espectadores.

1.3. De 1967 a la actualidad el teatro de Buero Vallejo ha continuado por la línea de la experimentación y el desarrollo de técnicas innovadoras que incorpora a sus fines y tiñe de rasgos peculiares. En obras como *El sueño de la razón, Llegada de los dioses, La Fundación* o *La detonación* el espectador participa con más intensidad que nunca del punto de vista del *yo,* de la subjetividad del protagonista: la sordera de Goya, la ceguera de Julio, la locura de Tomás, la torrentera de recuerdos agolpados en la mente moribunda de Larra. Estos recursos y los cada vez más estudiados efectos escenográficos, a menudo relacionables con la alienación, la irrealidad o lo onírico, siguen caracterizando en mayor o menor medida sus obras hasta la última estrenada, *Las trampas del azar* (1994).

2. El género

Del mismo modo que las restantes de Buero, El tragaluz es una tragedia contemporánea con hondas raíces en la clásica. Se sigue, en particular, el modelo del *Edipo Rey,* de Sófocles (siglo V a. C.), que había sido también la base de Henrik Ibsen para la construcción de obras como *Una casa de muñecas* (1879) o *Espectros* (1881). En los títulos citados se observan los elementos principales de la tragedia griega *(mimesis* o imitación de una acción o *praxis),* sobre muchos de los cuales ya Aristóteles (siglo V a. C.) había teorizado:

a) El error *(hamartía)* o los errores cometidos por los personajes y, en particular, por los protagonistas. Conscientes o no, estos errores son engendradores de culpa, de excesos, de transgresión *(hybris)* y merecen siempre un castigo, según las leyes trágicas.

b) El cambio de fortuna o situación *(metabolé* o *peripecia)* que se deriva de cada grave error y conduce a los personajes —a los culpables, pero a veces también a los inocentes— a la desgracia.

c) La lucha dialéctica *(agón),* enfrentamiento verbal entre los personajes que, mediante la reconstrucción del pasado, quieren descubrir la verdad, hallar al culpable y hacer que expíe sus faltas.

d) El reconocimiento de culpa *(anagnórisis).*

e) La justicia trágica *(némesis),* castigo trágico que debe sufrir el culpable para que se restaure el orden moral. Por mucho que el espectador se identifique con los sentimientos del héroe trágico *(simpátheia)* o sienta piedad por él *(éleos),* verá que no hay eximentes para su culpa: ha de pagar por ella.

f) El final trágico *(catástrofe)* —no forzosamente cerrado a la esperanza— que el mismo castigo trágico lleva aparejado.

g) La purificación *(catarsis)* de ciertos personajes dramáticos y de los espectadores que, escarmentados y sobrecogidos por el terror y la piedad que sienten ante los hechos presenciados, extraen de ellos una lección moral.

h) El destino adverso, la fatalidad *(anánke, fatum)* que actúa sobre los personajes, en especial sobre los protagonistas, aunque sin impedir su libertad de elección.

— El teatro de Buero supone una constante búsqueda de la verdad, oculta por el error de una mentira en el pasado: ¿quién ha mentido en EL TRAGALUZ?

— ¿Cuáles son los cambios de situación, adversa o aparentemente próspera, que se derivan de los errores de cada uno?

— Coméntense las anagnórisis de Vicente, Mario y Encarna.

— La aplicación del castigo trágico, causa de la catástrofe, ¿parece desproporcionada en relación con la culpa?

— ¿Qué efectos catárticos produce la catástrofe en Mario?

— Piénsese en la incidencia del *fatum* sobre los libres comportamientos de los personajes.

3. HISTORIA Y DISCURSO

La *historia, argumento* o *fábula* es una reelaboración que lectores o espectadores pueden hacer a partir de lo narrado en una novela o en una obra de teatro, pues también en el teatro hay relato. Para ello han de imaginar los hechos como pudieran haber sucedido si fuesen reales, es decir, han de someterlos a un orden cronológico natural —primero los más antiguos, luego los más recientes—, lo que implica que unos deriven de otros al modo de una cadena de causas y consecuencias.

— Reconstrúyase la *historia* de EL TRAGALUZ. Para evitar la mezcla de tiempos, trátense primero la intervención y propósitos de los investigadores y luego los avatares de la familia.

— Nótese que dentro de la obra la palabra «historia», muchas veces reiterada, no tiene el sentido teórico del que se viene hablando sino el de «suceso que puede haber ocurrido o que se ha inventado y se transmite».

El *discurso* o *trama* es la plasmación verbal de los hechos tal como aparece en el texto ya escrito. En esta obra la trama no se presenta totalmente sometida al orden cronológico natural. Las alteraciones se deben, sobre todo, al uso de técnicas diversas de temporalización que facilitan la alternancia de épocas muy lejanas entre sí (véase 5.3).

— Hágase un resumen del *discurso* de EL TRAGALUZ. En atención a lo dicho, debe respetarse escrupulosamente la disposición del texto.

4. EL EXPERIMENTO Y LA PREGUNTA. LOS TEMAS

El subtítulo, «Experimento en dos partes», induce a pensar en un experimento teatral del autor. Así podría entenderse, en efecto, y nada extrañaría que tal denominación aludiese a la general complejidad con que está compuesta la obra, pero hay otras significaciones que se deducen de la puesta en escena o de la lectura.

EL TRAGALUZ es también el experimento que llevan a cabo unos investigadores del siglo XXX que consiguen recuperar imágenes del pasado mediante unas máquinas.

Sin embargo, ellos mismos hablan del experimento en otro sentido, el de la integración de los hombres en una empresa común: conocerse, sentirse iguales los unos a los otros, responsabilizarse de las propias acciones, ser jueces de los demás sabiéndose también posibles objetos de juicio.

A eso parece haber llegado, no sin esfuerzo, la sociedad del tercer milenio que Él y Ella representan y, sin embargo, por considerar inexcusable un mayor acercamiento al pasado, siguen escudriñándolo incansablemente mientras tratan de individualizar a cuantos existieron. En el anhelo de conocimiento de los demás todo hombre ha de implicarse, porque el otro es el semejante, el yo y el tú, el nosotros.

— La muestra de dos sociedades tan lejanas, la de los investigadores y la de Mario y Vicente, ¿es un ejemplo de la integración de toda la Humanidad en un solo tiempo de conocimiento, compasión y comprensión?

— Relaciónense las palabras siguientes con la cuestión anterior.

ÉL.—Si no os habéis sentido en algún instante verdaderos seres del siglo veinte, pero observados y juzgados por una especie de conciencia futura; si no os habéis sentido en algún otro momento como seres de un futuro hecho ya presente que juzgan, con rigor y piedad, a gentes muy antiguas y acaso iguales a vosotros, el experimento ha fracasado (pág. 188).

4.1. *La solidaridad*

El experimento surge del que es, sin duda, el tema fundamental de EL TRAGALUZ, la solidaridad, uno de los valores que Buero siempre ha defendido. Este tema aflora a la pregunta constante de El padre («¿Quién es éste?») y a la que, relacionada con él, también mencionan los investigadores:

> ÉL.—[...] Mi compañera y yo creemos haber sido muy afortunados al realizar este experimento por una razón excepcional: la historia que hemos logrado rescatar del pasado nos da, explícita ya en aquel lejano tiempo, *la pregunta* (págs. 72-73).
>
> ELLA.—Nos sabemos ya solidarios, no sólo de quienes viven, sino del pasado entero. Inocentes con quienes lo fueron; culpables con quienes lo fueron (pág. 166).
>
> ÉL.—Compadecer, uno por uno, a cuantos vivieron, es una tarea imposible [...].
>
> ÉL.—[...]... ¿Quién es ése?
>
> ELLA.—Ése eres tú, y tú y tú. Yo soy tú y tú eres yo. Todos hemos vivido, y viviremos, todas las vidas (págs. 166-167).

— ¿Por qué son Él y Ella los personajes más solidarios de la obra? ¿Qué fines persiguen?

— El padre, al recortar muñecos, ¿a quién quiere salvar? Con su comportamiento, ¿a quién se adelanta?

— ¿Qué consigue el autor predicando la solidaridad también por medio de personajes fuertemente insolidarios?

— ¿Tiene algo que ver *la pregunta* con la búsqueda del propio *yo,* con el descubrimiento de la identidad personal?

4.2. *El pasado*

Complemento del tema de la solidaridad es el de la necesidad de conservar el recuerdo del pasado, imprescindible vía de conocimiento de todos los seres humanos, de sus aciertos y errores. Ese acceso al pasado es el móvil de la investigación que los seres del futuro han emprendido: La solidaridad supone el hermanamiento, la superación de las guerras. Todo lo que ocurre en EL TRAGALUZ debe verse como el fruto de una de ellas. En el texto queda bien claro que es la guerra civil española, aunque explícitamente no se diga nunca.

4.3. *Otros temas*

Como antítesis de la solidaridad, los temas de la soledad y de la búsqueda de la personalidad propia se observan en aquellos personajes buerianos que voluntariamente se aíslan (Mario), pero llegan a su mayor hondura en los marginados por sus taras, capaces de abstraerse de todo lo que no sea profundo y esencial (El padre).

Otros temas de importancia son la interrelación de lo individual y lo social, las antinomias mentira/verdad, recuerdo/olvido, locura/lucidez, la reflexión existencial sobre acción/contemplación —que engloba las de vencedores/vencidos, triunfadores/fracasados, verdugos/víctimas, soberbios/humillados—, la explotación, la importancia de la responsabilidad personal y la visión de una futura sociedad utópica.

— Reléase completa la primera intervención de los investigadores. ¿Qué sentido tiene su frase «La importancia infinita del caso singular»? ¿De qué metáforas se sirven para contraponer lo individual a lo social? ¿Cómo se integran ambos planos en EL TRAGALUZ?

— ¿Cuál es el sentido de la palabra «juego», tan reiterada en los enfrentamientos de los dos hermanos?

— Dígase qué personaje representa con más claridad el mundo de la explotación.

— ¿Cómo es esa utópica sociedad en la que ya viven los investigadores? ¿Anhela Buero esa sociedad reconciliada y pacífica para la España de la posguerra?

— ¿Pueden ser Mario y Encarna, en la escena final, la imagen de la reconciliación?

— Nótese lo reiterado del uso, en toda la obra, del verbo «acordarse». Coméntense sus connotaciones individuales (en Vicente, El padre, Mario, La madre) y los obstáculos que los recuerdos suponen para las relaciones familiares.

— Si recordando el pasado pueden enmendarse errores, ¿recordando la guerra civil podrán evitarse otros? ¿Podrán luchar los españoles contra el olvido y la paralización que se predica desde la dictadura franquista? ¿Subyacen estos mensajes en EL TRAGALUZ? ¿Por qué no se expresaron claramente?

5. La estructura

5.1. *Distribución de la materia dramática*

La obra se divide en dos partes («experimento en dos partes») que se fragmentan a su vez en otras —tres cuadros o secuencias en cada una— armónicamente entrelazadas (Introducción, págs. 28-29).

Los cuadros están delimitados por ocho intervenciones simétricas de los investigadores, una al principio y al final de cada parte y dos en medio de ambas. Estas intervenciones sirven de preludio o de cierre a los cuadros. Los investigadores narran los sucesos del siglo XX y los hacen revivir mediante las máquinas, pero no intervienen en ellos.

Dentro de los cuadros, como unidades menores o escenas, funcionan a veces segmentos de la acción que, a la manera de bloques semánticos, se van representando sucesiva o simultáneamente en los diversos espacios. Éste es el sentido en que los propios investigadores usan el vocablo «escena», que a veces ocupa el cuadro entero, por lo que propiamente no hay subdivisiones en él. Buero no señala otras divisiones que las de las dos partes. (No se considera el cambio de escenas a la manera tradicional, según la que una escena se caracteriza por la permanencia, sin entradas ni salidas, de los mismos personajes en el escenario. La división que proponemos se basa en el cambio del diálogo de un espacio a otro).

5.2. *División de escenas*

Entre paréntesis figuran las intervenciones con que los investigadores enlazan los hechos del siglo XX. Se omiten las escenas simultáneas no dialogadas.

PARTE PRIMERA	PARTE SEGUNDA
CUADRO PRIMERO (investigadores) oficina sótano	CUADRO PRIMERO (investigadores) sótano
CUADRO SEGUNDO (investigadores) cafetín	CUADRO SEGUNDO (investigadores) sótano
CUADRO TERCERO (investigadores) oficina sótano cafetín sótano (investigadores)	CUADRO TERCERO (investigadores) cafetín (investigadores)

En los cuadros, ciertas situaciones recurrentes, ciertos motivos y la mención reiterada de ciertos temas se van interrelacionando hasta componer el todo entretejido e inseparable que es la propia obra.

— Búsquense recurrencias generadoras de coherencia, además de constatar las que se indican en la Introducción (págs. 27-31) y las aquí enumeradas: la mención de la locura de El padre como culpa de Vicente, la locura en los investigadores, en Encarna, en Mario, *la pregunta,* la acción frente a la contemplación (enfrentamientos entre Mario y Vicente, palabras de los investigadores), el hombre y la sociedad (el egoísmo individual, la necesidad de un mundo solidario), la resignación, las referencias a Beltrán, el recuerdo del pasado en general y en particular de Elvirita, los efectos que va desencadenando la postal que representa un antiguo tren, el consumismo (televisión, nevera, coche...) el peligro que representan las tijeras, el sueño premonitorio de Mario y su cumplimiento...

— Piénsese que en la España de 1967 la posesión de electrodomésticos y de automóvil era un lujo para la mayor parte de las familias. La sociedad —que trataba todavía de recuperarse de una guerra finalizada en 1939, es decir, casi veinte años antes— atravesaba, pues, una situación muy distinta de la que ha generado el voraz consumismo de hoy.

5.3. *El tiempo*

El tiempo, la coordenada estructural de mayor dificultad en el teatro, es preocupación primordial en Buero y resulta especialmente elaborado en EL TRAGALUZ, obra en la que, además de los tiempos *principal, secundario* y *mixto,* de los que hablaremos, deben considerarse, como en cualquier obra dramática, los siguientes:

a) *Tiempo de la obra:* es aquel en el que los acontecimientos fingen desarrollarse. Ese tiempo es en EL TRAGALUZ el futuro, el siglo XXX.

b) *Tiempo de la representación:* se llama también *tiempo escénico* y se corresponde con la duración de la puesta en escena. Naturalmente el tiempo de la representación se atiene al habitual en las funciones teatrales contemporáneas, alrededor de dos horas. Como el texto teatral exigía un tiempo de representación más largo, Buero suprimió partes de diálogos que, en esta edición, figuran entre corchetes.

c) *Tiempo representado,* tiempo de la ficción o tiempo dramático: es el creado por el autor; se trata, por tanto, de un tiempo inventado que nunca ha existido. En EL TRAGALUZ abarca siglos. De este tiempo de la ficción han de apreciarse dos facetas:

1) *Tiempo de la historia:* recibe esta denominación el tiempo cronológicamente ordenado, sin omisiones ni alteraciones, que los hechos hubieran podido tener de haber sido reales. Observamos en EL TRAGALUZ tres planos, correspondientes al siglo XX (1939), al siglo XX (1967) y al siglo XXX, además de una alusión de Ella al siglo XXII, que se estima ya pasado.

2) *Tiempo del discurso:* es el tiempo tal como está ordenado y manipulado en el texto dramático, es decir, en el texto teatral, en cuyos diálogos y acotaciones aparece indicado. Aunque se observan los mismos planos que en el tiempo de la historia, el tiempo del discurso en EL TRAGALUZ es mucho menos amplio y presenta además una disposición muy distinta. Ello se debe a las diversas técnicas de temporalización utilizadas para alterarlo y reducirlo: analepsis, resúmenes, elipsis y simultaneísmo.

— Señálese en qué orden van apareciendo y alternándose los diversos planos temporales en el tiempo de la *trama* o *discurso.*

Organización del tiempo en EL TRAGALUZ

Tiempo principal = tiempo presente.
Tiempo presente = tiempo de los investigadores = siglo XXX.
Tiempo secundario I = tiempo pasado (analepsis de primer grado).
Tiempo pasado = Mario y Vicente adultos = siglo XX (1967).
Tiempo secundario II = tiempo pasado (analepsis de segundo grado, rememoraciones).
Tiempo pasado = Mario y Vicente adolescentes y jóvenes = siglo XX (1939 y años posteriores).
Tiempo mixto = tiempo del público que es impulsado a participar en la obra = siglos XXX y XX.

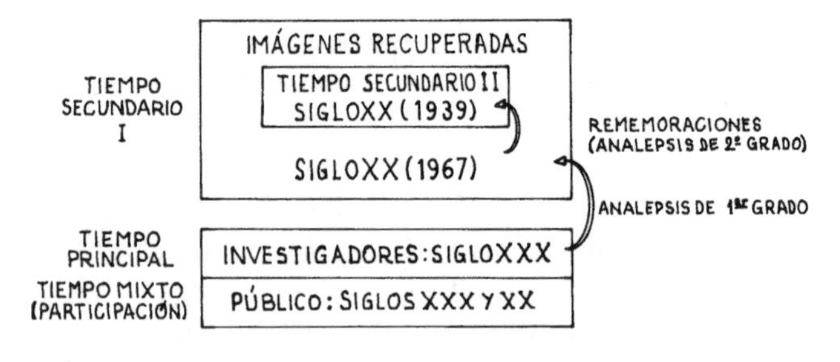

Figura 1. La construccion temporal

— Como se habrá visto, en su primera intervención los investigadores ubican el tiempo que se revive en la segunda mitad del siglo XX. Ello ha dado pie para situar los hechos en 1967, el año del estreno de la obra.

La recuperación, por parte de los investigadores, del *tiempo secundario I* mediante unas máquinas supone una serie de analepsis o retrospecciones a lo largo de toda la obra. Se trata de analepsis muy bruscas, técnicas temporalizadoras experimentales frecuentemente utilizadas en la novela y el teatro del siglo XX. En EL TRAGALUZ se rompe con el presente de Él y Ella para intercalar, representándolo con igual inmediatez, el pasado de Mario, Vicente y sus padres. Así, los dos tiempos, *principal y secundario,* se tienden un puente a través de los siglos y hacen muy profunda la amplitud cronológica de la obra.

— Obsérvese que las analepsis de primer grado, es decir, las que son de tipo experimental, se corresponden con los cuadros.

Dentro del *tiempo secundario I* hay también analepsis (por insertarse dentro de otras pueden llamarse de segundo grado); se trata siempre de analepsis hechas a la manera tradicional, no rompen la linealidad cronológica y son, técnicamente, tan antiguas como la propia literatura. Consisten aquí en rememoraciones, relatadas por los propios personajes, del *tiempo secundario II,* donde han de situarse los orígenes de la tragedia: los avatares de la familia al final de la guerra, los sucesos relacionados con la subida de Vicente al tren, la depuración de El padre, los comienzos de sus trastornos hace diecinueve años, su empeoramiento hace cuatro..., Encarna y su padre... Pueden considerarse también junto a estas analepsis los ruidos del tren, pues representan recuerdos muy vivos relacionados con las desgracias familiares.

Los personajes del *tiempo principal* no se mezclan con los del *tiempo secundario:* mil años los separan. Sin embargo, mientras que los del *tiempo secundario* no pueden ver a la pareja del futuro, Él y Ella observan las imágenes recuperadas de la familia española en 1967, del mismo modo que lo hacen los espectadores, impulsados éstos, por las características de la obra, a participar de dos tiempos, es decir, de un inquietante *tiempo mixto.*

— ¿Sería verosímil que los investigadores hablasen con los personajes del siglo XX? ¿Lo es que se dirijan al público?

Desde el *tiempo principal* Él y Ella, mediante unos cerebros electrónicos, hacen revivir el pasado, lo presentan y lo contemplan. Este *tiempo principal* coincide en su duración con el *tiempo escénico* y es también el que hemos llamado *tiempo de la obra.*

Sin embargo, el tiempo recuperado o *tiempo secundario I,* por englobar al *II,* abarca casi treinta años. De ellos sólo se llevan a escena los últimos veintiocho días de una historia que, mediante *elipsis* (tiempo no representado que puede suponerse) y *resúmenes* (tiempo no representado pero aludido), quedan reducidos a los momentos más trascendentes. El autor consigue también acortar la duración de la obra gracias al uso *simultáneo* de los escenarios (véase 5.5.).

— Señálense las elipsis y los resúmenes y adviértase cómo son técnicas que no afectan al sentido fundamental de la obra (así lo explican también los investigadores): se trata de cortes en el tiempo y permiten seleccionarlo, reducirlo y condensarlo.

La primera información cronológica para el *tiempo secundario* está puesta en boca de Vicente: «Cierto. Hoy es jueves» (Cuadro Primero). A partir de ahí van marcando el transcurso del tiempo los investigadores, que se refieren tanto a lo representado como a lo que, por su menor interés, se omite. Según esto resulta lo siguiente:

PARTE PRIMERA

Cuadro Primero: un jueves.
Cuadro Segundo: el mismo jueves.
Cuadro Tercero: siete días después.

PARTE SEGUNDA

Cuadro Primero: ocho días más tarde.
Cuadro Segundo: veintiséis horas después.
Cuadro Tercero: once días después.

5.4. *La acción*

La *acción* es la cadena de sucesos que constituyen la *historia.* Está estrechamente vinculada al tiempo y a la lógica, pues los hechos que ocurren en ella han de someterse a una sucesión temporal y causal que, como ya se ha visto, puede presentar en la *trama* los cambios que parezcan pertinentes al autor. En el caso de EL TRAGALUZ es necesario atender a estas alteraciones.

En el tiempo principal no hay acción, pues los investigadores no protagonizan una historia paralela a la del tiempo secundario sino que explican los procesos y los fines de su experimento y completan con sus comentarios el relato dramático de lo acaecido a los antiguos seres recuperados con las máquinas.

Es en el tiempo secundario donde la acción se desarrolla. En ella puede observarse la clásica composición tripartita de *planteamiento* o *exposición, nudo* y *desenlace.* Sin embargo, aunque en el Primer Cuadro se exponen, por un lado, el estado de la investigación y, por otro, la situación actual de la familia y de Encarna, el planteamiento propiamente dicho —el que muestra el error del pasado y las desgracias acaecidas— debe deducirse de las rememoraciones salpicadas por todo el texto, con las que se demora el conocimiento de la verdad y se acrecienta la tensión hasta casi el final.

La obra comienza con la acción *in medias res,* en medio de la historia, es decir, la trama empieza cuando ya está muy avanzado el argumento, pues han transcurrido casi treinta años desde que sucedieron los hechos desencadenantes de la situación actual. El inicio *in medias res,* recurso utilizado ya en la epopeya y en la tragedia griegas y, contemporáneamente, muy del gusto de autores de novelas policiacas, permite ahondar en el pasado y someterlo a indagación: alguien ha causado víctimas y debe expiar su culpa.

— La acción se va presentando como una sucesión de enfrentamientos. Recuérdense los que tienen lugar entre los dos hermanos y entre ellos y Encarna.
— Obsérvese cómo en la acción alternan *clímax* (incrementos de tensión) y *anticlímax* (relajación). Véase especialmente el contraste del clímax trágico que se produce entre la muerte de Vicente tras el reconocimiento de culpa y el final anticlimático y esperanzado, muy característico en Buero, partidario de que el espectador no se retire tras los pasajes de máximo sobrecogimiento.

Muchos momentos en la obra son iterativos: los finales de la Parte Primera y del Cuadro Segundo de la segunda, los diálogos sobre el recuerdo del pasado entre La madre y Mario y La madre y Vicente, Encarna con cada uno de los hermanos en el café, Encarna con cada uno de los hermanos en la oficina, los diálogos de El padre con Mario y con Vicente, la sinrazón de El padre que le impide conocer a los miembros de su familia, las confrontaciones entre ambos hermanos, la observación de la calle a través del tragaluz, las visitas de Vicente al sótano...

— Coméntese la significación de estas situaciones y nótese que tanto la recurrencia de motivos y temas como los fragmentos repetitivos imprimen lentitud al desarrollo de una acción que parece no avanzar y que, de pronto, sorprende por la fuerza dramática de su desenlace.

5.5. *Los espacios escénicos. Su alcance simbólico y temporal*

El espacio escénico de EL TRAGALUZ es múltiple. Buero había adoptado la forma abierta del escenario simultáneo ya desde 1958, en *Un soñador para un pueblo,* aunque volvió a la forma cerrada del espacio único tradicional (véase 1, págs. 218-220) en obras posteriores, como *Llegada de los dioses, La Fundación* —pese a su paulatina variación escenográfica— o *Diálogo secreto.*

El *escenario múltiple* supone la fragmentación del espacio único tradicional en espacios escénicos diversos. Ayuda a condensar la acción y evita los cambios de decorado y el uso de telón, que en esta obra sólo se utiliza para delimitar las dos partes. Permite cambios continuos de lugar y tiempo, además de la representación simultánea de hechos que están ocurriendo en el mismo momento pero en distintos lugares.

— Léase la distribución y descripción de los espacios en la acotación inicial de la Parte Primera y en algunas de las que figuran después de ella.

Los espacios escénicos son, como se ha venido aceptando, el sótano, la oficina y la calle del cafetín y el muro. Sin embargo deben añadirse el proscenio —lugar desde el que habitualmente hablan los investigadores y que queda fuera de la línea en la que reposa el telón— e incluso el patio de butacas, porque a través de él entran Él y Ella, que

Figura 2. Escenario múltiple de *El tragaluz* (dibujo de Javier Vilariño)

actúan ya antes de subir por la escalerilla. Además, no sólo el patio de butacas sino la sala entera son lugares ocupados por un público cuya participación en la obra es muy intensa. De este modo, puede decirse que todo el teatro queda convertido en una suma de espacios escénicos.

— Al observar la representación gráfica del escenario múltiple, adviértase que los espacios de 1939 no aparecen: están entre los rememorados, no entre los recuperados con imágenes. Lo único de aquel tiempo de guerra es el ruido del tren, sólo percibido por el público; como indican los investigadores, se ha añadido y representa en la mente de Vicente y de El padre la evocación del penoso episodio familiar de la guerra civil. Ese ruido se convierte en uno de los grandes símbolos de la obra, junto con el sótano, el tragaluz y la oficina. El tren está relacionado con la muerte —la de Elvirita primero, después la de Vicente—, pero también con la lucha por la vida (pág. 125).

Los diversos escenarios no sólo sugieren espacios diferentes. También encierran una densa carga metafórico-simbólica y se relacionan con el tiempo:

5.5.1. Espacio escénico del siglo XXX (tiempo principal)

El más utilizado es el *proscenio,* lugar que queda fuera del escenario propiamente dicho por estar delante de la línea de telón. Su imprecisa temporalidad (Buero ha señalado los siglos XXV o XXX) corre pareja a la falta de datos sobre su ubicación geográfica y ambas vienen marcadas por la inexistencia de decorados. Él y Ella hablan desde este espacio en todas las ocasiones, excepto en el inicio de la obra.

5.5.2. Espacios escénicos del siglo XX (tiempo secundario)

Los espacios escénicos representan interiores y exteriores del Madrid de la segunda mitad del siglo XX y están situados tras la línea de telón, es decir, en el propio escenario. En conjunto ofrecen un panorama metafórico del asfixiante universo constituido por una parte de la España de la posguerra.

a) El *sótano* es el lugar de El padre, La madre y Mario. Símbolo de los vencidos, las víctimas, los contrarios al régimen dictatorial, los que «no tomaron el tren» y continúan en la sala de espera, representa también, a la par que el subconsciente, el mundo de las sombras y del conocimiento imperfecto, por lo que se ha relacionado con el mito platónico de la caverna. Es asimismo el «pozo», esa especie de infierno en el que se hunde el contemplativo Mario. Para Vicente, sin embargo, es la luz y la verdad, por eso acude a él, con frecuencia cada vez mayor, en busca de un castigo que lo redima. Y es, en fin, el lugar de las anagnórisis y de la ejecución de la justicia poética.

El tragaluz, componente arquitectónico situado en la *cuarta pared* (véase Introducción, n. 1) del sótano, y por lo tanto perceptible sólo cuando su sombra se proyecta en el *foro* (la pared del fondo del escenario), es un elemento simbólico que relaciona a los de dentro con el mundo exterior, con la vida, que contemplan a veces sentados como ante un escenario o, según sus palabras, «Como en el cine» (pág. 132). A través de sus rejas, por entre las que se filtra una realidad incompleta, proyectan todos sus obsesiones: los hermanos rivalizan, Mario imagina y urde poéticas fantasías, Vicente cree escuchar a Beltrán y a una pareja con problemas similares a los suyos con Encarna, El padre confunde tren y tragaluz, le habla a Elvirita y la descubre en cada voz infantil.

Debe tenerse en cuenta que a un escenario múltiple corresponden tantas líneas de cuarta pared como espacios escénicos la requieran, por lo que la oficina también tiene la suya; la línea de telón separa la calle, el cafetín y el muro del proscenio.

b) La *oficina,* elevada sobre el resto de los espacios escénicos, es el lugar de Vicente, el símbolo de los vencedores, los verdugos, los adictos al régimen, los que «tomaron el tren», los activos, los que tienen acceso al conocimiento. Pero es también lugar de injusticias, de explotación y de abusos, por eso allí trabaja Encarna y por eso allí se destruye, con una simple conversación telefónica, el futuro de Beltrán.

c) El tercero de los lugares escénicos de este tiempo secundario es la *calle del cafetín,* donde aparece en principio la Esquinera y donde se encuentra cada hermano con Encarna; cerca está el muro que evoca la miseria de la prostitución.

5.5.3. Espacio escénico de los siglos XXX y XX (tiempo mixto)

El *patio de butacas,* por donde entran los investigadores y desde donde empiezan a hablar, se convierte en un escenario más del siglo XXX. El público, compuesto por espectadores del siglo XX, recibe las informaciones de Él y Ella como si fuesen sus contemporáneos, pero presencia en la historia recuperada las penalidades de gentes de su propio tiempo. Este entrecruzamiento espacial y temporal en los ámbitos de investigadores y público es uno de los pilares en que se basa EL TRAGALUZ para producir inquietud y sobrecogimiento trágico entre los asistentes.

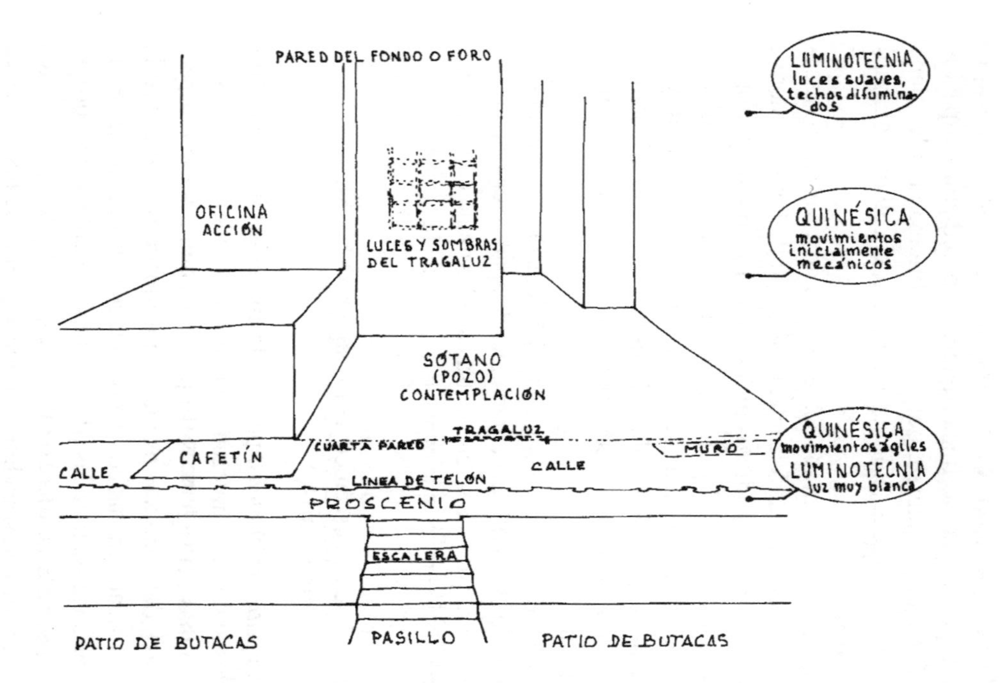

Figura 3. Espacios y símbolos escénicos (dibujo de Javier Vilariño)

— Explíquense las relaciones oficina-tren, sótano-sala de espera, tragaluz-tren.

— Los verdugos invaden los espacios de las víctimas y a la inversa: señálense los momentos y los lugares en que ello ocurre.

— Relaciónese la prisión-sepulcro de Segismundo en *La vida es sueño* con el sótano-pozo de Mario. ¿Sostienen ambos personajes análogas actitudes?

— Búsquense en el texto ocasiones en que estén funcionando un solo espacio escénico, dos espacios simultáneos y tres espacios simultáneos.

— ¿Por qué en la Parte Primera los cambios de lugar abundan más que en la Segunda?

5.6. *Los personajes. Sus valores simbólicos*

Como se ve por la acotación inicial que los enumera, en EL TRAGALUZ intervienen muy pocos personajes. La Introducción ofrece abundantes reflexiones sobre su carácter, función y correspondencias simbólicas.

— Conviene fijarse en los tres tipos de personajes que hay en la obra: los que dialogan, los que son aludidos pero nunca aparecen y los que, haciéndolo, son figurantes (desempeñan pequeños papeles y, generalmente, no hablan, como ocurre con el Camarero y la Esquinera). Debe distinguirse también entre los del siglo XXX y los del XX.

— Beltrán no aparece nunca, pero es notable su trascendencia. ¿Se da a conocer el desenlace de la historia de este personaje?

— Elvirita no interviene porque está muerta. Su recuerdo aflora continuamente al pensamiento de los demás e impulsa la acción. ¿Puede ser otro ejemplo de cómo el pasado debe ser conocido para evitar desgracias?
— ¿Cuál es el papel de la Esquinera? ¿Se trata de una visión real, una obsesión, una premonición?
— ¿Cómo se explica que El padre confunda a Encarna con Elvirita? ¿Hay algo de común entre las dos?
— La madre se esfuerza por mantener la concordia. Si los personajes de la tragedia han de desvelar la verdad, pese al dolor, ¿es ella un personaje trágico? ¿Está justificada su pasividad?
— ¿En qué lugares de la obra coinciden La madre y Encarna en predicar resignación? El disimulo con que ambas ahogan sus penas las hace participar de la culpa: ¿deben, pues, sufrir sus consecuencias? ¿Se resignan ambas igualmente?
— ¿Por quién es tratado Mario como un personaje cervantino?
— La confrontación entre Mario y Vicente se ha visto como un eco del pasaje bíblico de Caín y Abel. Los valores que sustentan sus actitudes sociales ¿parecen éticamente sostenibles?

5.6.1. El padre

El padre, la criatura de más difícil interpretación en la obra, es, como otros personajes buerianos, una síntesis entre la tara que sufre y su contrario, entre demencia y cordura. La locura, aunque también se insinúa como característica de Mario y de los investigadores, se polariza en este loco-lúcido que no identifica a quienes le rodean y al que, sin embargo, por sus ansias de conocer a todos los hombres, se ha relacionado con Tiresias, ciego-vidente descubridor de la verdad, que desde la *Odisea* de Homero y el *Edipo Rey,* de Sófocles, a *La tejedora de sueños,* del propio Buero, aparece constantemente como mito literario.

— Dígase de qué modo el deseo de alcanzar «el punto de vista de Dios» (pág. 129) del que habla Mario une a El padre con los investigadores.
— ¿Por qué se habrán hecho recaer sobre El padre los únicos momentos de humor de la obra?
— El hombre ha de ser responsable de sus actos, juez de sí mismo y de los demás. ¿Puede el hombre de hoy juzgar a quienes le precedieron, igual que lo hacen los seres del futuro?
— ¿Quiénes actúan de jueces en la obra? ¿Quiénes son los testigos?
— La razón de llamar a los progenitores «El padre» y «La madre», sin designarlos con nombre propio y distintivo, ¿es la misma que lleva a aplicar a los investigadores «Él» y «Ella» y a los figurantes «Camarero» y «Esquinera»?

5.6.2. Los investigadores

El papel de los investigadores como narradores ha sido tachado de superfluo por algunos críticos. La prohibición del estreno de *La doble historia del doctor Valmy* impedía entonces saber que Buero ya había utilizado narradores en esta obra, por lo que su existencia en EL TRAGALUZ se tomó como una extraña novedad, cuando no como un farragoso añadido. Él y Ella significan la irrenunciable esperanza del hombre imperfecto en una sociedad utópica, pero ejercen además otras funciones: por hablar desde un lejano futuro que se finge presente trascienden el concepto tradicional de «realismo», llevan la obra a los terrenos de la ciencia-ficción y le dan profundidad temporal; por dominar las máquinas y ser reconstructores de trágicas anécdotas recuperadas de lo que para ellos es pasado, las manipulan según creen conveniente. Para conseguir el objetivo de su experimento, explican los resultados de la investigación a sus contemporáneos (el público), comentan las incidencias de la acción, enlazan unas escenas con otras, reconstruyen diálogos y pensamientos, señalan el paso del tiempo y echan a andar las computadoras.

— Los seres del futuro aparecen en la ficción con las atribuciones de un autor literario: hallándose en posesión de una *historia* la someten a sus fines y a su concepción de la eficacia, seleccionan lo que debe transmitirse de ella y la convierten en *discurso.*

— El distanciamiento brechtiano (pérdida de interiorización de los problemas de la obra y control crítico de los mismos por parte del público) que supone cada una de las apariciones de los narradores se compensa con ciertos elementos de subjetivización. Recuérdese la imposición del punto de vista de los personajes traducido en sus pensamientos (el ruido del tren, diálogos que pueden ser imaginaciones, Encarna y sus visiones de la prostituta, lo que El padre y Vicente atisban y escuchan a través del tragaluz...) e imagínense los sentimientos de los espectadores al saber que lo más oculto de sus intimidades puede llegar a ser sometido a juicio como les ocurre a sus semejantes del siglo XX en el escenario («La acción más oculta o insignificante puede ser descubierta un día», pág. 110). ¿Se advierte algún posible paralelo con creencias cristianas?

— Él y Ella, al manipular las máquinas, se convierten en espectadores, junto con el público, de unos antiguos hechos que se representan en el escenario. Esta técnica de «teatro dentro del teatro», *mise en abyme,* tiene ilustres precedentes; quizá sea el más conocido la representación de «La ratonera» por un grupo de cómicos dentro del *Hamlet* de Shakespeare. ¿Hay también famosos equivalentes en la novela?

— La técnica de *mise en abyme* ¿hace menos «reales» a los seres del siglo XX que a los del siglo XXX? Dicho de otro modo, ¿se observan dos grados de ficcionalización?

— Lo que se ve y se oye a través del tragaluz o lo que los de fuera pueden observar de los de dentro, acentúa más la construcción especular de la obra, un juego de espectadores y representaciones en el que todos parecemos implicados, pues, en definitiva, este tipo de composición acrecienta la idea de la igualdad entre los hombres. Explíquese esta construcción especular con más detalle.

— Relaciónense las invenciones de Mario ante el tragaluz con la creación literaria y el juego metaliterario presente en la obra.

— Sométase a debate qué podría perder o ganar EL TRAGALUZ con la supresión de los investigadores.

6. ACOTACIONES. QUINÉSICA. PROXÉMICA. LUMINOTECNIA. EFECTOS SONOROS

6.1. *Acotaciones*

Las acotaciones o didascalias orientan al lector y al director sobre el aspecto, tono de voz, movimientos, gestos, actitudes y carácter de los personajes, además de indicar la disposición del espacio escénico, los decorados, vestuario, luces, ruidos... que faciliten la puesta en escena más próxima a lo imaginado por el dramaturgo.

El *texto dramático* es todo él un texto literario, pese a la frecuencia con que se oye decir que la intención literaria o, lo que es lo mismo, la función poética, está sólo en el *texto primario* o de los diálogos y que el *texto secundario,* que contiene las *didascalias* está formado por meras indicaciones para el montaje. Dentro de su funcionalidad, a veces muy marcada, la lengua de las acotaciones no debe suponerse carente de valores estéticos. El autor, especialmente en las que filtran su subjetividad, ha elegido cuidadosamente no sólo qué quiere decir sino cómo decirlo. Y, aunque prime el deseo de eficacia, no quedan fuera la voluntad de estilo y la vertiente humana, sobre todo cuando el escritor trata de llevar a los lectores —y al director de escena— a participar de su propio punto de vista.

Los diálogos, por su parte, contienen *acotaciones insertas* que, si bien no se presentan tipográficamente como tales y se diferencian de las propias en que se verbalizan en escena, precisan también datos relativos al decorado o a las actitudes de los personajes.

— Búsquense ejemplos de acotaciones objetivas o funcionales y de acotaciones con matices subjetivos.

— Localícense dentro de los diálogos algunas acotaciones insertas.

En una obra teatral es acotación todo lo que no es diálogo. Ello quiere decir que las didascalias empiezan en el título de la obra, siguen con el reparto de personajes y continúan con la primera descripción del escenario. En seguida dan comienzo las que indican el principio de la acción. Desde ahí, por lo general, van en letra cursiva.

6.2. *Quinésica y proxémica*

Se llama quinésica a la disciplina que se ocupa del estudio de los gestos y la expresión del rostro, mientras que la proxémica atiende a la significación de los movimientos —la posición de los personajes en el escenario, las distancias que los acercan o separan...—. Resulta muy curioso notar cómo se resalta en las acotaciones la agilidad y la elasticidad de la pareja del siglo XXX frente a los movimientos lentos que distinguen en los inicios de ambas Partes a los seres del pasado, aparentemente mecanizados o herrumbrosos. De la importancia de la irrupción de la pareja del XXX en la sala de espectadores y del uso del proscenio ya se ha hablado.

—Obsérvese cuántas veces se utiliza en las didascalias el adjetivo «inmóvil» referido a los personajes del tiempo secundario. Justifíquese.

6.3. *Luminotecnia*

La incidencia de los recursos lumínicos es decisiva en las obras que se representan sobre escenario múltiple porque marcan, entre otras cosas, el paso de un escenario a otro, el funcionamiento de varios a la vez y, en EL TRAGALUZ, incluso los cambios de tiempo.

— Dedúzcanse de los detalles de luminotecnia aportados por las acotaciones los cambios de espacios escénicos. Véase cómo las luces no suelen extinguirse totalmente de uno sin que empiecen a iluminar el otro y cómo indican el funcionamiento simultáneo de escenarios.

— La luz que ilumina a los investigadores y la de la historia reconstruida son diferentes: ¿tienen relación con la mayor o menor «realidad» de los personajes y con el tiempo en que viven?

6.4. *Efectos sonoros*

Entre los más importantes figuran los propios diálogos, no recuperados del pasado sino reconstruidos a partir del movimiento de los labios de los personajes. Y, naturalmente, el ruido del tren.

— Léase en la primera intervención de los investigadores todo lo que se refiere a sonidos y ruidos.

7. El papel del público

Buero ha reconocido no ser partidario de llevar a sus últimas consecuencias el recurso brechtiano de distanciamiento u objetivación del espectador frente a lo que ocurre en la escena. Convertido por Él y Ella en *narratario,* es decir, en destinatario de la obra dentro de la obra misma, al público van dirigidas las palabras y el experimento de los investigadores. El dramaturgo pretende aquí, como en su teatro todo, *inquietar* y *sobrecoger* a los espectadores para derramar sobre ellos los efectos de la catarsis. En El tragaluz no hay, pues, receptores pasivos a la manera del teatro tradicional; muy al contrario, deben colaborar con los narradores, que crean y manipulan la ficción al asumir el papel del autor.

— Según Mario, «Todos estamos muertos» (pág. 121). En el texto se reiteran los vocablos «sombras» y «fantasmas», aplicados a los personajes del tiempo secundario. ¿Se está provocando la inquietud del público, que ve su propio hoy como algo pasado?
— ¿Cómo mitiga el sobrecogimiento la última escena abierta a la esperanza? ¿Quiénes son «ellos»?

8. El realismo simbólico

El teatro de Buero ha de afiliarse a la renovación que supuso el movimiento, de hondas resonancias simbólicas, encabezado por el noruego Henrik Ibsen. La producción de Antonio Buero Vallejo, aparentemente realista, muestra a los personajes en situaciones y ambientes cotidianos, pero detrás de la verosimilitud se esconden símbolos. Como se ha dicho, personajes, comportamientos, discapacidades, espacios, tiempos, objetos, ruidos... se convierten en representaciones de algo que el receptor debe desentrañar para penetrar los más perdurables significados.

Por otra parte, el reflejo mimético de la realidad queda en EL TRAGALUZ afectado por la construcción temporal: lo sucedido en la segunda mitad del siglo XX no se ve ya como una reproducción inmediata de los hechos sino a través de una distancia temporal y una perspectiva que adensan la carga simbólica: observando lo ocurrido desde el siglo XXX, el público considera su época algo muerto, histórico. De ahí han de surgir la capacidad para interpretar los símbolos y la reflexión crítica.

— No se olvide que lo único verdaderamente «real» es el mundo del siglo XXX. Todo lo demás se debe a una reconstrucción de la que Él dice: «Pero su condición de fenómeno real es, ya lo comprenderéis, más dudosa» (pág. 74).

9. *EL TRAGALUZ*, OBRA DE SÍNTESIS

El teatro de Buero tiende a la síntesis de contrarios. Como ya se ha hecho notar, en esta obra conviven, además de realismo y simbolismo, la problemática individual y social, la acción y la contemplación, la lucidez y la locura, lo clásico y lo nuevo. Vistos ya los restantes aspectos, detengámonos en el último:

—Tal como se indicó al principio de este Apéndice, la obra está concebida a la manera de la tragedia clásica. En cuanto al fundamental elemento de la *historia,* ya Aristóteles en su *Poética* señalaba los enfrentamientos entre hermanos como casos trágicos por excelencia. Por otra parte, Buero ha mostrado siempre su conocimiento del teatro realista español, del que recoge importantes elementos.

—Aunque es cierto que el sótano adquiere categoría de escenario principal, el uso del múltiple supone un avance hacia las nuevas formas escénicas y una ruptura con el espacio único del teatro anterior. La simultaneidad de escenarios permite que el tiempo se desdoble en diversos lugares, lo que, en la literatura del siglo XX, es fruto de la teoría de la relatividad de Einstein.

—Por medio de la incorporación de narradores se asimila en parte la teoría del distanciamiento de Bertolt Brecht, lo que se contrarresta con la penetración del público en la subjetividad de los personajes, representada por sus puntos de vista.

—La antinomia entre acción/contemplación, antigua en literatura, igual que el ansia de supervivencia del más fuerte, puede relacionarse con Friedrich Nietzsche; también con él, pero especialmente con Arthur Schopenhauer, el deseo de conocimiento y solidaridad entre todos los hombres.

—El que la sala entera se convierta en escenario y queden anuladas las diferencias entre actores y espectadores, partícipes todos en la obra, es recurso difundido por el teatro de Luigi Pirandello.

—La transmisión de los pensamientos, las imaginaciones, las obsesiones o los sueños por medio de efectos sonoros o lumínicos debe verse a la luz de teorías científico-filosóficas de amplia acogida en el siglo XX, sobre todo del psicoanálisis. Con tales recursos sustituye Buero lo que pudieran haber sido monólogos, no muy afines con los gustos del teatro realista del que parte, y avanza dentro de una concepción del *teatro total* en el que hechos y pensamientos se mezclan.

10. LA AMBIGÜEDAD DE *EL TRAGALUZ*

De lo hasta aquí visto se deduce la plurivalencia de EL TRAGALUZ, que dentro de la producción bueriana resulta ser una de las obras más complejas y una de sus más logradas realizaciones. Como recapitulación reflexiónese sobre lo siguiente:

— Obra realista, ¿por qué?

— Obra simbólica. Desentráñense los símbolos que la convierten en una parábola de lo que no debe suceder.

— Obra con problemas existenciales: el pensamiento y la conducta de los seres de EL TRAGALUZ.
— Obra de protesta social: los opresores y los oprimidos. La explotación. Las desigualdades: falta de medios y consumismo. La marginación de los alienados.
— Obra de protesta política: las consecuencias de la guerra civil española. Alusiones a la guerra en el texto. Las últimas intervenciones de Vicente. La reflexión sobre el pasado, garantía del porvenir.
— Obra de ciencia-ficción: ¿cuáles han sido las fuentes inspiradoras del autor?
— Obra con elementos de drama judicial: señálense.
— Obra histórica: nótese cómo los espectadores reviven, por paradoja, un pasado que es su propio presente. Discútase si hoy, a más de treinta años del estreno de EL TRAGALUZ, a esa perspectiva histórica «al revés» —se observa el presente desde un ficticio futuro— puede añadirse la que es habitual: analizar el pasado desde un presente verdadero.
— Obra de propósitos éticos. Relaciónese su mensaje moral con el resto de la producción bueriana.
— Obra de preocupaciones estéticas. Nótese que, por lo común, la literatura de compromiso social y político, en la que ha de integrarse EL TRAGALUZ, descuida los aspectos estéticos. Demuéstrese hasta qué punto están cuidados en esta tragedia.

11. LA LENGUA

La lengua teatral de Buero, que se hace muy poética en pasajes de tragedias como *La tejedora de sueños, Un soñador para un pueblo, Las Meninas* o *El sueño de la razón,* quizá por reflejo de lo mítico o lo cortesano, resulta en otras obras si no menos elaborada, sí más directa y funcional, como puede apreciarse en *Historia de una escalera,* en *Hoy es fiesta,* en *Las cartas boca abajo* o en *Música cercana,* por señalar algunos ejemplos. De ello debe deducirse que el dramaturgo adecua la expresión a las características de los personajes, ambientes y situaciones en cada obra, pero en todas el proceso de pulimiento es similar: sólo varían los registros. Que el autor maneja un lenguaje preciso y directo es algo ya repetido. Habrá que añadir que, conocedor de todos los resortes de su oficio, moldea sabiamente el idioma y consigue efectos de alta eficacia dramática. La lengua de Buero, incluso en su más sencilla forma de expresión, suele ocultar una alta densidad significativa.

A la hora de estudiar esta obra han de considerarse tanto los dos separados mundos del siglo XXX y del siglo XX como las acotaciones:

a) El modo en que se expresan los investigadores no es el evolutivamente adecuado a un tiempo futuro tan lejano, hecho que aclaran desde el primer momento: «Os extrañará nuestro tosco modo de hablar [...]». «Os hablamos [...] al modo del siglo veinte, y, en concreto, conforme a la segunda mitad de aquel siglo tan remoto».

— Búsquense, en las intervenciones de Él y Ella, las diversas ocasiones en que tienen dudas sobre las palabras convenientes. Destáquense las menciones a la vieja manera de expresarse o a los antiguos objetos que ya no existen.

— Los investigadores, con el fin de explicar la índole de su experimento, hacen uso a veces de los rasgos lingüísticos propios de la narración y de la exposición en los preludios a los hechos que presentan. Otras, dirigen preguntas al público o bien efectúan comentarios y suministran información sobre el trato que han dado a la *historia* para convertirla en *trama.* Señálense diferentes ejemplos.

— Él y Ella ¿dialogan entre sí o informan alternativamente al público? ¿Serían sus papeles asumibles por uno solo?

b) Entre la lengua de los personajes del siglo XX pueden establecerse diferencias derivadas del carácter, la formación cultural, la edad, la situación, las intenciones y el estado psicológico. Todo ello refleja el esmero que en su creación puso el dramaturgo.

— La capacidad expresiva de La madre, ¿es pobre? ¿Puede influir en sus relaciones con los hijos?

— ¿Por medio de qué rasgos de lenguaje está caracterizado El padre?

— ¿Corresponde a un nivel culto la manera de hablar de Encarna?

— Mario y Vicente llevan el peso de los diálogos. En sus discusiones, aunque se encuentran fragmentos de narración y de exposición como sistemas elocutivos, la base principal está constituida por argumentos. Constátese.

— En ambas partes, en la defensa que cada hermano hace de su modo de entender la vida predominan los sustantivos abstractos, se mencionan los símbolos de la obra, se utilizan expresiones metafóricas y adjetivos de captación intelectual. ¿A qué puede deberse?

— ¿Qué reflejan las interrogaciones y exclamaciones continuas en los diálogos entre Mario y Vicente?

— Antítesis y reiteraciones de vocablos son muy frecuentes como recurso para mostrar las actitudes en estos enfrentamientos. Búsquense ejemplos.
— Compruébense asimismo la significación opuesta de verbos que indican acción e inacción.
— Buero no gusta de adornos, tiende a la economía lingüística y a la hondura del concepto. Pruébese o refútese.

c) La lengua de las acotaciones está extraordinariamente cuidada. En múltiples ocasiones, por reflejar la cultura y el nivel lingüístico del autor, alcanza un registro más elevado que el que se aplica a los personajes.

— Selecciónense algunas de las más elaboradas didascalias e ilústrese con ellas la afirmación anterior.

12. CONCLUSIÓN

— Hágase una valoración crítica y comparativa de la significación de EL TRAGALUZ en 1967 y en la actualidad.

TALLER DE CREACIÓN

Las actividades siguientes deben adecuarse a las aptitudes de los alumnos, por lo que será aconsejable dividirlos en grupos. Cuando se requiera la creación de escenarios, decorados, vestuario, efectos sonoros y lumínicos... se procurará la relación con otros profesores y disciplinas.

— Ya se ha visto cómo en la obra no se utiliza el monólogo. Escríbase uno, protagonizado por cualquiera de los hermanos.

— Invéntese un desenlace para la historia de Beltrán.

— Elabórese un pequeño relato de lo sucedido en la estación del tren.

— Nárrese un final de EL TRAGALUZ en el que el ejecutor de la justicia poética sea Mario. Inclúyanse las reacciones de El padre, La madre y Encarna. Debe prescindirse del diálogo.

— Represéntese en la clase, sin otros recursos escenográficos que los meramente esenciales, el último enfrentamiento entre Mario y Vicente.

— Como ya se ha comentado, se producen instantes de extrema dureza con la muerte de Vicente en el escenario. Piénsese en otra forma de transmitirla al espectador.

— Constrúyase una breve pieza en la que intervengan personajes activos y contemplativos. Debe imaginarse un escenario múltiple con los espacios convenientes.

— Cuídense las acotaciones desde el reparto de personajes, descripción de los escenarios, decorados, vestuario... Póngase especial atención a la indicación de gestos, movimientos, sonidos (pueden usarse efectos musicales) y luminotecnia.

— Háganse propuestas de bocetos escenográficos y de vestuario.

— Si es posible, represéntese la pieza y grábese en vídeo.

COLECCIÓN AUSTRAL

EDICIONES DIDÁCTICAS

Wenceslao Fernández Flórez
128 **El bosque animado**
Edición de José Carlos Mainer
Guía de lectura de Ana Isabel Gaspar Díaz

Camilo José Cela
131 **Viaje a la Alcarria**
Introducción de José María Pozuelo Yvancos
Guía de lectura de Mª Paz Díaz Taboada

Jacinto Benavente
133 **Los intereses creados**
Edición de Francisco Javier Díaz de Castro
Guía de lectura de Almudena del Olmo

Dámaso Alonso
134 **Hijos de la ira**
Edición y guía de lectura de Fanny Rubio

Jorge Manrique
152 **Poesías completas**
Edición y guía de lectura de Miguel Ángel Pérez Priego

Federico García Lorca
156 **Romancero gitano**
Edición de Christian de Paepe
Introducción y guía de lectura de Esperanza Ortega

Duque de Rivas
162 **Don Álvaro o la fuerza del sino**
Edición de Carlos Ruiz Silva
Guía de lectura de Juan Francisco Peña

Francisco de Quevedo
186 **Antología poética**
Edición de Pablo Jauralde Pou
Guía de lectura de Pablo Jauralde García

Max Weber
192 **La ciencia como profesión / La política como profesión**
Edición y traducción de Joaquín Abellán
Guía de lectura de Luis Castro Nogueira

Pedro Antonio de Alarcón
228 **El sombrero de tres picos / El Capitán Veneno**
Edición y guía de lectura de Jesús Rubio Jiménez

Juan Ramón Jiménez
243 **Segunda antolojía poética (1898-1918)**
Edición y guía de lectura de Javier Blasco

Azorín
254 **Castilla**
Edición de Inman Fox
Guía de lectura de Seve Calleja

José Luis Alonso de Santos
260 **El álbum familiar / Bajarse al moro**
Edición y guía de lectura de Andrés Amorós

Rubén Darío
269 **Antología poética**
Prólogo de Octavio Paz
Edición y guía de lectura de Carmen Ruiz Barrionuevo

Aristóteles
270 **Moral, a Nicómaco**
Introducción y guía de lectura de Luis Castro Nogueira

Rubén Darío
276 **Azul/Cantos de vida y esperanza**
Edición de Álvaro Salvador
Guía de lectura de Antonio Cerrada

Rafael Alberti
278 **Antología poética**
Edición de Jaime Siles
Guía de lectura de Juan Francisco Peña

Fernando de Rojas
282 **Celestina**
Edición de Pedro M. Piñero Ramírez
Guía de lectura de Fernando Rayo y Gala Blasco

Francisco de Quevedo
300 **Historia de la vida del Buscón**
Edición y guía de lectura de Ignacio Arellano

Antonio Buero Vallejo
302 **El tragaluz**
Edición de Luis Iglesias Feijoo
Guía de lectura de Ana M.ª Platas

William Shakesperare
317 **Romeo y Julieta**
Edición y traducción de Ángel-Luis Pujante
Guía de lectura de Clara Calvo

Carlos Arniches
322 **El amigo Melquiades / La señorita de Trevélez**
Edición de Manuel Seco
Guía de lectura de Mariano de Paco

José Ortega y Gasset
341 **¿Qué es filosofía?**
Introducción de Ignacio Sánchez Cámara
Guía de lectura de José Lasaga Medina

William Shakespeare
350 **Hamlet**
Edición y traducción de Ángel-Luis Pujante
Guía de lectura de Clara Calvo

Molière
353 **El Tartufo o El impostor**
Edición y traducción de Mauro Armiño
Guía de lectura de Francisco Alonso

Lope de Vega
359 **Fuente Ovejuna**
Edición de Rinaldo Froldi
Guía de lectura de Abraham Madroñal Durán

Pablo Neruda
400 **Veinte poemas de amor y una canción desesperada**
Edición y guía de lectura de José Carlos Rovira

Miguel de Cervantes
402 **Novelas ejemplares. Selección**
CONTIENE: **La gitanilla / Rinconete y Cortadillo / El casamiento engañoso / El coloquio de los perros**
Edición y guía de lectura de Florencio Sevilla y Antonio Rey

Gustavo Adolfo Bécquer
403 **Rimas y leyendas**
Edición y guía de lectura de F. López Estrada y M.ª Teresa López García-Berdoy

Antonio Buero Vallejo
404 **Historia de una escalera**
Edición y guía de lectura de Virtudes Serrano

Rosalía de Castro
406 **En las orillas del Sar**
Edición y guía de lectura de Mauro Armiño

José de Espronceda
417 **Prosa literária y política / Poesía lírica / El estudiante de Salamanca / El diablo mundo**
Edición y guía de lectura de Guillermo Carnero

Lope de Vega
418 **El caballero de Olmedo**
Edición y guía de lectura de Ignacio Arellano y José Manuel Escudero

Camilo José Cela
421 **La colmena**
Edición y guía de lectura de Eduardo Alonso

Francisco de Quevedo
436 **Los sueños**
Edición y guía de lectura de Ignacio Arellano y M.ª Carmen Pinillos

Miguel de Cervantes
451 **Entremeses**
Edición y guía de lectura de Jacobo Sanz Elmira

Rosalía de Castro
462 **Cantares gallegos**
Edición y guía de lectura de Mauro Armiño

Voltaire
464 **El ingenuo y otros cuentos**
Edición y traducción Mauro Armiño
Guía de lectura de Francisco Alonso

Benito Pérez Galdós
470 **Miau**
Edición de Germán Gullón
Guía de lectura de Heilette van Ree

AA. VV.
472 **Antología de la poesía española del Siglo de Oro**
Edición de Pablo Jauralde Pou
Guía de lectura de Mercedes Sánchez Sánchez

Antonio Buero Vallejo
473 **Las meninas**
Edición y guía de lectura de Virtudes Serrano

Carmen Martín Gaite
475 **Cuéntame**
Edición y guía de lectura de Emma Martinell

Enrique Jardiel Poncela
478 **Angelina o El honor de un brigadier / Un marido de ida y vuelta**
Edición de Francisco J. Díaz de Castro
Guía de lectura de Almudena del Olmo Iturriante

Gustavo Adolfo Bécquer
482 **Desde mi celda. Cartas literarias**
Edición y guía de lectura de M.ª Paz Díez-Taboada

Miguel Hernández
487 **Antología poética**
Edición y guía de lectura de José Luis V. Ferris

Friedrich Nietzsche
493 **El gay saber**
Edición y guía de lectura de José Luis Jiménez Moreno

José Sanchis Sinisterra
495 **Ay, Carmela / El lector por horas**
Edición y guía de lectura de Eduardo Pérez Rasilla

Enrique Jardiel Poncela
497 **Cuatro corazones con freno y marcha atrás / Los ladrones somos gente honrada**
Edición y guía de lectura de Fernando Valls y David Roas

Boccaccio
511 **Decamerón**
Traducción de Pilar Gómez Bedate
Edición y guía de lectura de Anna Girardi

Luis Rojas Marcos
516 **La ciudad y sus desafíos**
Guía de lectura de Francisco Alonso

Voltaire
525 **Cándido o el optimismo**
Edición y traducción de Mauro Armiño
Guía de lectura de Francisco Alonso

Luis Mateo Díez
529 **Los males menores**
Edición de Fernando Valls
Guía de lectura de Enrique Turpin

Juan Marsé
536 **Cuentos completos**
Edición y guía de lectura de Enrique Turpin

Francisco Martínez de la Rosa
545 **La conjuración de Venecia**
Edición y guía de lectura de Juan Francisco Peña

Enrique Gil y Carrasco
546 **El señor de Bembibre**
Edición y guía de lectura de Juan Carlos Mestre y Miguel Ángel Muñoz

Rafael Sánchez Mazas
552 **La vida nueva de Pedrito de Andía**
Edición y guía de lectura de María Luisa Burguera

Arturo Pérez-Reverte
561 **El maestro de esgrima**
Prólogo de José María Pozuelo Yvancos
Guía de lectura de Enrique Turpin

Miguel Delibes
571 **El camino**
Introducción de Marisa Sotelo
Guía de lectura de Fernando de Miguel

Carmen Laforet
572 **Nada**
Introducción de Rosa Navarro Durán
Guía de lectura de Enrique Turpin

George Orwell
573 **Rebelión en la granja**
Introducción de Rosa González
Guía de lectura de Francisco Alonso

Rafael Sánchez Ferlosio
575 **El Jarama**
Introducción y guía de lectura de María Luisa Burguera

Ramón J. Sénder
576 **Réquiem por un campesino español**
Edición y guía de lectura de Enrique Turpin

Camilo José Cela
577 **La familia de Pascual Duarte**
Introducción de Adolfo Sotelo
Guía de lectura de Antonio Cerrada